Who is Groot

I am Groot

I am Groot

I am Groot. I am Groot. I am *Groot*. I am Groot. I am Groot. I am Groot. I am Groot. I am Groot. I am Groot; I am Groot. I am Groot. I am Groot. I am Groot! I am Groot. I am Groot. I am Groot. I am Groot. I am Groot. I am Groot. I am Groot. *I am Groot*. I am Groot. I am Groot. I am Groot! I am Groot. I am Groot. I am Groot. I am Groot. I am Groot. I am Groot. I am Groot. I am Groot. **I am Groot**. I am Groot. I am Groot. I am Groot; I am Groot. I am Groot. I am Groot. I am Groot. I am Groot. I am Groot. I am Groot - I am Groot. I am Groot..

I am Groot. I am Groot. I am Groot. I am Groot. I am Groot. *I am Groot*. I am Groot. I am Groot. I am Groot! I am Groot. I am Groot. I am Groot. I am Groot. I am Groot. I am Groot. I am Groot. I am Groot. **I am Groot**. I am Groot. I am Groot. I am Groot; I am Groot. I am Groot. I am Groot. I am Groot. I am Groot. I am Groot. I am Groot - I am Groot. I am Groot.. I am Groot. I am Groot. I am *Groot*. I am Groot. I am Groot? I am Groot. I am Groot. I am Groot. I am Groot; I am Groot. I am Groot. I am Groot. I am Groot! I am Groot. I am Groot. I am Groot. I am Groot. I am Groot. I am Groot. I am Groot. *I am Groot*. I am Groot. I am Groot. I am Groot! I am Groot. I am Groot. I am Groot. I am Groot. I am Groot. I am Groot. I am Groot. I am Groot. **I am Groot**. I am Groot. I am Groot. I am Groot; I am Groot. I am Groot. I am Groot. I am Groot. I am Groot. I am Groot. I am Groot. I am Groot - I am Groot. I am Groot.. I am Groot. I am Groot. I am Groot. I am Groot. I am Groot. I am Groot. I am Groot. **I am Groot**. I am Groot. I am Groot. I am Groot; I am Groot. I am Groot. I am Groot. I am Groot. I am Groot. I am Groot. I am Groot. I am Groot. I am Groot - I am Groot. I am Groot..

I am Groot.

I am Groot. I am Groot. I am *Groot*. I am Groot. I am Groot. I am Groot. I am Groot. I am Groot. I am Groot; I am Groot. I am Groot. I am Groot. I am Groot! I am Groot. I am Groot. I am Groot. I am Groot.. I am Groot. I am Groot. I am Groot. *I am Groot*. I am Groot. I am Groot. I am Groot! I am Groot. I am Groot. I am Groot. I am Groot. I am Groot. I am Groot. I am Groot. I am Groot. **I am Groot**. I am Groot. I am Groot. I am Groot; I am Groot. I am Groot. I am Groot. I am Groot. <u>I am Groot</u>. I am Groot. I am Groot - I am Groot. I am Groot.

I am Groot. I am Groot. I am Groot. I am Groot. I am Groot. *I am Groot*. I am Groot. I am Groot. I am Groot! I am Groot. I am Groot. I am Groot. I am Groot. I am Groot. I am Groot. I am Groot. I am Groot. **I am Groot**. I am Groot. I am Groot. I am Groot; I am Groot. I am Groot. I am Groot. I am Groot. <u>I am Groot</u>. I am Groot. I am Groot - I am Groot. I am Groot.. I am Groot? I am Groot. I am *Groot*. I am Groot. I am Groot. I am Groot. I am Groot. I am Groot. I am Groot; I am Groot. I am Groot. I am Groot. I am Groot! I am Groot. I am Groot. I am Groot. I am Groot. I am Groot. I am Groot. I am Groot. *I am Groot*. I am Groot. I am Groot. I am Groot! I am Groot. I am Groot. I am Groot. I am Groot. I am Groot. I am Groot. I am Groot. I am Groot. **I am Groot**? I am Groot. I am Groot. I am Groot; I am Groot. I am Groot. I am Groot. I am Groot. <u>I am Groot</u>. I am Groot. I am Groot - I am Groot. I am Groot.. I am Groot. I am Groot. I am Groot. I am Groot. I am Groot. I am Groot. I am Groot. **I am Groot**. I am Groot. I am Groot. I am Groot; I am Groot. I am Groot. I am Groot. I am Groot. <u>I am Groot</u>. I am Groot. I am Groot - I am Groot. I am Groot.

I am Groot. I am Groot. I am *Groot*. I am Groot. I am Groot. I am Groot. I am Groot. I am Groot. I am Groot; I am Groot. I am Groot. I am Groot. I am Groot! I am

Groot. I am Groot. I am Groot. I am Groot.. I am Groot. I am Groot. I am Groot. *I am Groot*. I am Groot. I am Groot. I am Groot! I am Groot. I am Groot. I am Groot. I am Groot. I am Groot. I am Groot. I am Groot. **I am Groot**. I am Groot. I am Groot. I am Groot; I am Groot. I am Groot. I am Groot. I am Groot. <u>I am Groot</u>. I am Groot. I am Groot - I am Groot. I am Groot.

I am Groot. I am Groot. I am *Groot*. I am Groot. I am Groot. I am Groot. I am Groot. I am Groot. I am Groot; I am Groot. I am Groot. I am Groot. I am Groot! I am Groot. I am Groot. I am Groot. I am Groot.. I am Groot. I am Groot. I am Groot. I am Groot. I am Groot. I am *Groot*. I am Groot. I am Groot. I am Groot. I am Groot. I am Groot. I am Groot; I am Groot. I am Groot. I am Groot. I am Groot. I am Groot! I am Groot. I am Groot. I am Groot. I am Groot.. I am Groot. I am Groot. I am Groot. *I am Groot*. I am Groot. I am Groot. I am Groot. I am Groot! I am Groot. I am Groot. I am Groot. I am Groot. I am Groot. I am Groot. I am Groot. I am Groot. I am Groot? I am Groot. I am Groot. I am Groot; I am Groot. I am Groot. I am Groot. I am Groot. <u>I am Groot</u>. I am Groot. I am Groot - I am Groot. I am Groot.

I am Groot. I am Groot. I am *Groot*. I am Groot. I am Groot. I am Groot. I am Groot. I am Groot. I am Groot; I am Groot. I am Groot. I am Groot. I am Groot! I am Groot. I am Groot. I am Groot. I am Groot.. I am Groot. I am Groot. I am Groot. *I am Groot*. I am Groot. I am Groot. I am Groot! I am Groot. I am Groot. I am Groot. I am Groot. I am Groot. I am Groot. I am Groot. **I am Groot**. I am Groot. I am Groot. I am Groot; I am Groot. I am Groot. I am Groot. I am Groot. <u>I am Groot</u>. I am Groot. I am Groot - I am Groot. I am Groot. I am Groot. I am Groot. I am *Groot*. I am Groot. I am Groot. I am Groot. I am Groot. I am Groot. I am Groot; I am Groot. I am Groot. I am Groot. I am Groot! I am Groot. I am Groot. I am Groot. I am Groot.. I am Groot. I am Groot. I am Groot

I am Groot. I am Groot. I am *Groot*. I am Groot. I am Groot. I am Groot. I am Groot. I am Groot. I am Groot; I am Groot. I am Groot. I am Groot. I am Groot! I am Groot. I am Groot. I am Groot. I am Groot.. I am Groot. I am Groot. I am Groot. *I am Groot*. I am Groot. I am Groot. I am Groot! I am Groot. I am Groot. I am Groot. I am Groot. I am Groot. I am Groot. I am Groot. I am Groot. **I am Groot**. I am Groot. I am Groot. I am Groot; I am Groot. I am Groot. I am Groot. I am Groot. <u>I am Groot</u>. I am Groot! I am Groot - I am Groot. I am Groot. I am Groot. I am Groot. I am *Groot*…. I am Groot. I am Groot. I am Groot. I am Groot. I am Groot. I am Groot; I am Groot. I am Groot. I am Groot. I am Groot! I am Groot. I am Groot. I am Groot. I am Groot.. I am Groot. I am Groot. I am Groot

I am Groot. I am Groot. I am *Groot*. I am Groot. I am Groot. I am Groot. I am Groot. I am Groot. I am Groot. I am *Groot*. I am Groot. I am Groot. I am Groot. I am Groot. I am Groot. I am Groot; I am Groot. I am Groot. I am Groot. I am Groot! I am Groot. I am Groot. I am Groot. I am Groot.. I am Groot. I am Groot. I am Groot. *I am Groot*. I am Groot. I am Groot. I am Groot! I am Groot…. I am Groot. I am Groot. I am Groot. I am Groot. I am Groot. I am Groot. I am Groot. **I am Groot**. I am Groot. I am Groot. I am Groot; I am Groot. I am Groot. I am Groot. I am Groot. <u>I am Groot</u>. I am Groot. I am Groot - I am Groot. I am Groot. I am Groot. I am Groot. I am *Groot*. I am Groot. I am Groot. I am Groot. I am Groot. I am Groot. I am Groot; I am Groot. I am Groot. I am Groot. I am Groot! I am Groot. I am Groot. I am Groot. I am Groot.. I am Groot. I am Groot. I am Groot

I am Groot. I am Groot; I am Groot. I am Groot. I am Groot. I am Groot! I am Groot. I am Groot. I am Groot. I am Groot.. I am Groot. I am Groot. I am Groot. *I am Groot*. I am Groot. I am Groot. I am Groot! I am Groot. I am Groot. I am Groot. I am Groot. I am Groot. I am Groot.

I am Groot. I am Groot. **I am Groot**. I am Groot. I am Groot. I am Groot; I am Groot. I am Groot. I am Groot. I am Groot. <u>I am Groot</u>. I am Groot. I am Groot - I am Groot. I am Groot. I am Groot. I am Groot. I am *Groot*. I am Groot. I am Groot. I am Groot. I am Groot. I am Groot. I am Groot; I am Groot. I am Groot. I am Groot. I am Groot! I am Groot. I am Groot. I am Groot. I am Groot.. I am Groot. I am Groot. I am Groot. I am Groot. I am Groot. I am *Groot*. I am Groot. I am Groot. I am Groot. I am Groot. I am Groot…... I am Groot; I am Groot. I am Groot. I am Groot. I am Groot! I am Groot. I am Groot. I am Groot. I am Groot.. I am Groot. I am Groot. I am Groot. I am Groot. *I am Groot*. I am Groot. I am Groot. I am Groot! I am Groot. I am Groot. I am Groot. I am Groot. I am Groot. I am Groot. I am Groot. I am Groot. **I am Groot**. I am Groot. I am Groot. I am Groot; I am Groot. I am Groot. I am Groot. I am Groot. <u>I am Groot</u>. I am Groot. I am Groot - I am Groot. I am Groot. I am Groot. I am Groot. I am *Groot*. I am Groot. I am Groot. I am Groot. I am Groot. I am Groot. I am Groot; I am Groot. I am Groot. I am Groot. I am Groot! I am Groot. I am Groot. I am Groot. I am Groot.. I am Groot. I am Groot. I am Groot….**I am Groot**. I am Groot. I am Groot. I am Groot. I am Groot; I am Groot. I am Groot. I am Groot. I am Groot. <u>I am Groot</u>. I am Groot. I am Groot - I am Groot. I am Groot. I am Groot. I am Groot. I am *Groot*. I am Groot. I am Groot. I am Groot. I am Groot. I am Groot. I am Groot; I am Groot. I am Groot. I am Groot. I am Groot! I am Groot. I am Groot. I am Groot. I am Groot.. I am Groot. I am Groot. I am Groot

I am Groot. I am Groot. I am Groot. <u>I am Groot</u>. I am Groot. I am Groot - I am Groot. I am Groot. I am Groot. I am Groot. I am *Groot*. I am Groot. I am Groot….. I am Groot. I am Groot. I am Groot. I am Groot; I am Groot. I am Groot. I am Groot. I am Groot! I am Groot. I am Groot. I am Groot. I am Groot.. I am Groot. I am Groot. I am Groot….**I am Groot**. I am Groot. I am Groot. I am Groot; I

am Groot. I am Groot. I am Groot. I am Groot. <u>I am Groot</u>. I am Groot. I am Groot - I am Groot. I am Groot. I am Groot. I am Groot. I am *Groot*. I am Groot. I am Groot. I am Groot. I am Groot. I am Groot. I am Groot; I am Groot. I am Groot. I am Groot. I am Groot! I am Groot. I am Groot. I am Groot. I am Groot.. I am Groot. I am Groot. I am Groot.

I am Groot. I am Groot. I am *Groot*. I am Groot. I am Groot. I am Groot. I am Groot. I am Groot. I am Groot; I am Groot. I am Groot. I am Groot. I am Groot! I am Groot. I am Groot. I am Groot. I am Groot. I am Groot. I am Groot. I am Groot. *I am Groot*. I am Groot. I am Groot. I am Groot! I am Groot. I am Groot. I am Groot. I am Groot. I am Groot. I am Groot. I am Groot. I am Groot. **I am Groot**. I am Groot. I am Groot. I am Groot; I am Groot. I am Groot. I am Groot. I am Groot. <u>I am Groot</u>. I am Groot. I am Groot - I am Groot. I am Groot..

I am Groot. I am Groot. I am Groot. I am Groot. I am Groot. *I am Groot*. I am Groot. I am Groot. I am Groot! I am Groot. I am Groot. I am Groot. I am Groot. I am Groot. I am Groot. I am Groot. I am Groot. **I am Groot**. I am Groot. I am Groot. I am Groot; I am Groot. I am Groot. I am Groot. I am Groot. <u>I am Groot</u>. I am Groot. I am Groot - I am Groot. I am Groot.. I am Groot. I am Groot. I am *Groot*. I am Groot. I am Groot. I am Groot. I am Groot. I am Groot. I am Groot; I am Groot. I am Groot. I am Groot. I am Groot! I am Groot. I am Groot. I am Groot. I am Groot. I am Groot. I am Groot. I am Groot. *I am Groot*. I am Groot. I am Groot. I am Groot! I am Groot. I am Groot. I am Groot. I am Groot. I am Groot. I am Groot. **I am Groot**. I am Groot. I am Groot. I am Groot; I am Groot. I am Groot. I am Groot. I am Groot. I am Groot. <u>I am Groot</u>. I am Groot. I am Groot - I am Groot. I am Groot.. I am Groot. I am Groot. I am Groot. I am Groot. I am Groot. I am Groot. I am Groot. **I am Groot**. I am Groot. I am Groot. I am Groot; I am Groot. I am Groot. I am

Groot. I am Groot. <u>I am Groot</u>. I am Groot. I am Groot - I am Groot. I am Groot..

I am Groot.

I am Groot. I am Groot. I am Groot. I am Groot. I am Groot. *I am Groot*. I am Groot. I am Groot. I am Groot! I am Groot. I am Groot. I am Groot. I am Groot. I am Groot. I am Groot. I am Groot. I am Groot. **I am Groot**. I am Groot. I am Groot. I am Groot; I am Groot. I am Groot. I am Groot. I am Groot. <u>I am Groot</u>. I am Groot. I am Groot - I am Groot. I am Groot.. I am Groot. I am Groot. I am *Groot*. I am Groot. I am Groot. I am Groot. I am Groot. I am Groot. I am Groot; I am Groot. I am Groot. I am Groot. I am Groot! I am Groot. I am Groot. I am Groot. I am Groot. I am Groot. I am Groot. I am Groot. *I am Groot*. I am Groot. I am Groot. I am Groot! I am Groot. I am Groot. I am Groot. I am Groot. I am Groot. I am Groot. I am Groot. **I am Groot**. I am Groot. I am Groot. I am Groot; I am Groot. I am Groot. I am Groot. I am Groot. <u>I am Groot</u>. I am Groot. I am Groot - I am Groot. I am Groot.. I am Groot. I am Groot. I am Groot. I am Groot. I am Groot. I am Groot. I am Groot. **I am Groot**. I am Groot. I am Groot. I am Groot; I am Groot. I am Groot. I am Groot. I am Groot. <u>I am Groot</u>. I am Groot. I am Groot - I am Groot. I am Groot.
I am Groot. I am Groot. I am *Groot*. I am Groot. I am Groot. I am Groot. I am Groot. I am Groot. I am Groot; I am Groot. I am Groot. I am Groot. I am Groot! I am Groot. I am Groot. I am Groot. I am Groot.. I am Groot. I am Groot. I am Groot. *I am Groot*. I am Groot. I am Groot. I am Groot! I am Groot. I am Groot. I am Groot. I am Groot. I am Groot. I am Groot. I am Groot. **I am Groot**. I am Groot. I am Groot. I am Groot; I am Groot.

I am Groot. I am Groot. I am Groot. I am Groot. I am Groot. I am Groot - I am Groot. I am Groot.

I am Groot. I am Groot. I am *Groot*. I am Groot. I am Groot. I am Groot. I am Groot. I am Groot. I am Groot; I am Groot. I am Groot. I am Groot. I am Groot! I am Groot. I am Groot. I am Groot. I am Groot.. I am Groot. I am Groot. I am Groot. I am Groot. I am Groot. I am *Groot*. I am Groot. I am Groot. I am Groot. I am Groot. I am Groot. I am Groot; I am Groot. I am Groot. I am Groot. I am Groot! I am Groot. I am Groot. I am Groot. I am Groot.. I am Groot. I am Groot. I am Groot. *I am Groot*. I am Groot. I am Groot. I am Groot! I am Groot. I am Groot. I am Groot. I am Groot. I am Groot. I am Groot. I am Groot. I am Groot. I am Groot. I am Groot. I am Groot. I am Groot; I am Groot. I am Groot. I am Groot. I am Groot. I am Groot. I am Groot. I am Groot - I am Groot. I am Groot.

I am Groot. I am Groot. I am *Groot*. I am Groot. I am Groot. I am Groot. I am Groot. I am Groot. I am Groot; I am Groot. I am Groot. I am Groot. I am Groot! I am Groot. I am Groot. I am Groot. I am Groot.. I am Groot. I am Groot. I am Groot. *I am Groot*. I am Groot. I am Groot. I am Groot! I am Groot. I am Groot. I am Groot. I am Groot. I am Groot. I am Groot. I am Groot. I am Groot. **I am Groot**. I am Groot. I am Groot. I am Groot; I am Groot. I am Groot. I am Groot. I am Groot. I am Groot. I am Groot - I am Groot. I am Groot. I am Groot. I am Groot. I am *Groot*. I am Groot. I am Groot. I am Groot. I am Groot. I am Groot. I am Groot; I am Groot. I am Groot. I am Groot. I am Groot! I am Groot. I am Groot. I am Groot. I am Groot.. I am Groot. I am Groot. I am Groot

I am Groot. I am Groot. I am *Groot*. I am Groot. I am Groot. I am Groot. I am Groot. I am Groot. I am Groot; I am Groot. I am Groot. I am Groot. I am Groot! I am Groot. I am Groot. I am Groot. I am Groot.. I am Groot. I am Groot. I am Groot. *I am Groot*. I am Groot. I am Groot. I am Groot! I am Groot. I am Groot. I am Groot. I am

Groot. I am Groot. I am Groot. I am Groot. I am Groot. **I am Groot**. I am Groot. I am Groot. I am Groot; I am Groot. I am Groot. I am Groot. I am Groot. <u>I am Groot</u>. I am Groot! I am Groot - I am Groot. I am Groot. I am Groot. I am Groot. I am *Groot*.... I am Groot. I am Groot. I am Groot. I am Groot. I am Groot. I am Groot; I am Groot. I am Groot. I am Groot. I am Groot. I am Groot! I am Groot. I am Groot. I am Groot. I am Groot.. I am Groot. I am Groot. I am Groot

I am Groot. I am Groot. I am *Groot*. I am Groot. I am Groot. I am Groot. I am Groot. I am Groot. I am Groot. I am *Groot*. I am Groot. I am Groot. I am Groot. I am Groot. I am Groot. I am Groot; I am Groot. I am Groot. I am Groot. I am Groot! I am Groot. I am Groot. I am Groot. I am Groot.. I am Groot. I am Groot. I am Groot. *I am Groot*. I am Groot. I am Groot. I am Groot! I am Groot.... I am Groot. I am Groot. I am Groot. I am Groot. I am Groot. I am Groot. I am Groot. **I am Groot**. I am Groot. I am Groot. I am Groot; I am Groot. I am Groot. I am Groot? I am Groot. <u>I am Groot</u>. I am Groot. I am Groot - I am Groot. I am Groot. I am Groot. I am Groot. I am *Groot*. I am Groot. I am Groot. I am Groot. I am Groot. I am Groot. I am Groot; I am Groot. I am Groot. I am Groot. I am Groot! I am Groot. I am Groot. I am Groot. I am Groot.. I am Groot. I am Groot. I am Groot

I am Groot. I am Groot; I am Groot. I am Groot. I am Groot. I am Groot! I am Groot. I am Groot. I am Groot. I am Groot.. I am Groot. I am Groot. I am Groot. *I am Groot*. I am Groot. I am Groot. I am Groot! I am Groot. I am Groot. I am Groot. I am Groot. I am Groot. I am Groot. I am Groot. I am Groot. **I am Groot**. I am Groot. I am Groot. I am Groot; I am Groot. I am Groot. I am Groot. I am Groot. <u>I am Groot</u>. I am Groot. I am Groot - I am Groot. I am Groot. I am Groot. I am Groot. I am *Groot*. I am Groot. I am Groot. I am Groot. I am Groot. I am Groot. I am Groot; I am Groot. I am Groot. I am Groot. I am Groot!

I am Groot. I am Groot. I am Groot. I am Groot.. I am Groot. I am Groot. I am Groot? I am Groot. I am Groot. I am *Groot*. I am Groot. I am Groot. I am Groot. I am Groot. I am Groot…... I am Groot; I am Groot. I am Groot. I am Groot. I am Groot! I am Groot. I am Groot. I am Groot. I am Groot.. I am Groot. I am Groot. I am Groot. *I am Groot*. I am Groot. I am Groot. I am Groot! I am Groot. I am Groot. I am Groot. I am Groot. I am Groot. I am Groot. I am Groot. I am Groot. I am Groot. **I am Groot**. I am Groot. I am Groot. I am Groot; I am Groot. I am Groot. I am Groot. I am Groot. <u>I am Groot</u>. I am Groot. I am Groot - I am Groot. I am Groot. I am Groot. I am Groot. I am *Groot*. I am Groot. I am Groot. I am Groot. I am Groot. I am Groot. I am Groot; I am Groot. I am Groot. I am Groot. I am Groot! I am Groot. I am Groot. I am Groot. I am Groot.. I am Groot. I am Groot. I am Groot….**I am Groot**. I am Groot. I am Groot. I am Groot; I am Groot. I am Groot. I am Groot. I am Groot. <u>I am Groot</u>. I am Groot. I am Groot - I am Groot. I am Groot. I am Groot. I am Groot. I am *Groot*. I am Groot. I am Groot. I am Groot. I am Groot. I am Groot. I am Groot; I am Groot. I am Groot. I am Groot. I am Groot! I am Groot. I am Groot. I am Groot. I am Groot.. I am Groot. I am Groot. I am Groot

I am Groot. I am Groot. I am Groot. <u>I am Groot</u>. I am Groot. I am Groot - I am Groot. I am Groot. I am Groot. I am Groot. I am *Groot*. I am Groot. I am Groot….. I am Groot. I am Groot. I am Groot. I am Groot; I am Groot. I am Groot. I am Groot. I am Groot! I am Groot. I am Groot. I am Groot. I am Groot.. I am Groot. I am Groot. I am Groot….**I am Groot**. I am Groot. I am Groot. I am Groot; I am Groot. I am Groot. I am Groot. I am Groot. <u>I am Groot</u>. I am Groot. I am Groot - I am Groot. I am Groot. I am Groot. I am Groot. I am *Groot*. I am Groot. I am Groot. I am Groot. I am Groot. I am Groot; I am Groot. I am Groot. I am Groot. I am Groot! I am Groot. I am

Groot. I am Groot. I am Groot.. I am Groot. I am Groot. I am Groot.

I am Groot. I am Groot. I am *Groot*. I am Groot. I am Groot. I am Groot. I am Groot. I am Groot. I am Groot; I am Groot. I am Groot. I am Groot. I am Groot! I am Groot. I am Groot. I am Groot. I am Groot. I am Groot. I am Groot. *I am Groot*. I am Groot. I am Groot. I am Groot! I am Groot. I am Groot. I am Groot. I am Groot. I am Groot. I am Groot. I am Groot. I am Groot. **I am Groot**. I am Groot. I am Groot. I am Groot; I am Groot. I am Groot. I am Groot. I am Groot. <u>I am Groot</u>. I am Groot. I am Groot - I am Groot. I am Groot..

I am Groot. I am Groot. I am Groot. I am Groot. I am Groot. *I am Groot*. I am Groot. I am Groot. I am Groot! I am Groot. I am Groot. I am Groot. I am Groot. I am Groot. I am Groot. I am Groot. I am Groot. **I am Groot**. I am Groot. I am Groot. I am Groot; I am Groot. I am Groot. I am Groot. I am Groot. <u>I am Groot</u>. I am Groot. I am Groot - I am Groot. I am Groot.. I am Groot. I am Groot. I am *Groot*. I am Groot. I am Groot. I am Groot. I am Groot. I am Groot. I am Groot; I am Groot. I am Groot. I am Groot. I am Groot! I am Groot. I am Groot. I am Groot. I am Groot. I am Groot. I am Groot. I am Groot. *I am Groot*. I am Groot. I am Groot. I am Groot! I am Groot. I am Groot. I am Groot. I am Groot. I am Groot. I am Groot. I am Groot. **I am Groot**. I am Groot. I am Groot. I am Groot; I am Groot. I am Groot. I am Groot. I am Groot. <u>I am Groot</u>. I am Groot. I am Groot - I am Groot. I am Groot.. I am Groot. I am Groot. I am Groot. I am Groot. I am Groot. I am Groot. I am Groot. **I am Groot**. I am Groot. I am Groot. I am Groot; I am Groot. I am Groot. I am Groot. I am Groot. <u>I am Groot</u>. I am Groot. I am Groot - I am Groot. I am Groot..

I am Groot.

I am Groot. I am Groot. I am *Groot*. I am Groot. I am Groot. I am Groot. I am Groot. I am Groot. I am Groot; I am Groot. I am Groot. I am Groot. I am Groot! I am Groot. I am Groot. I am Groot. I am Groot.. I am Groot. I am Groot. I am Groot. *I am Groot*. I am Groot. I am Groot. I am Groot! I am Groot. I am Groot. I am Groot. I am Groot. I am Groot. I am Groot. I am Groot. I am Groot. **I am Groot**. I am Groot. I am Groot. I am Groot; I am Groot. I am Groot. I am Groot. I am Groot. <u>I am Groot</u>. I am Groot. I am Groot - I am Groot. I am Groot. I am Groot.

I am Groot. I am Groot. I am Groot? I am Groot. I am Groot. *I am Groot*. I am Groot. I am Groot. I am Groot! I am Groot. I am Groot. I am Groot. I am Groot. I am Groot. I am Groot. I am Groot. I am Groot. **I am Groot**. I am Groot. I am Groot. I am Groot; I am Groot. I am Groot. I am Groot. I am Groot. <u>I am Groot</u>. I am Groot. I am Groot - I am Groot.

I am Groot

I am Groot.. I am Groot. I am Groot. I am *Groot*. I am Groot. I am Groot. I am Groot. I am Groot. I am Groot. I am Groot; I am Groot. I am Groot. I am Groot. I am Groot! I am Groot. I am Groot. I am Groot. I am Groot. I am Groot. I am Groot. I am Groot. *I am Groot*. I am Groot. I am Groot. I am Groot! I am Groot. I am Groot. I am Groot. I am Groot. I am Groot. I am Groot. I am Groot. I am Groot. **I am Groot**. I am Groot. I am Groot. I am Groot; I am Groot. I am Groot. I am Groot. I am Groot. <u>I am Groot</u>. I am Groot. I am Groot - I am Groot. I am Groot.. I am Groot. I am Groot. I am Groot. I am Groot. I am Groot. I am Groot. I am Groot. **I am Groot**. I am Groot. I am Groot. I am Groot; I am Groot. I am Groot. I am Groot. I am Groot. <u>I am Groot</u>. I am Groot. I am Groot - I am Groot. I am Groot.

I am Groot. I am Groot. I am *Groot*. I am Groot. I am Groot. I am Groot. I am Groot. I am Groot. I am Groot; I am Groot. I am Groot. I am Groot. I am Groot! I am Groot. I am Groot. I am Groot. I am Groot.. I am Groot. I am Groot. I am Groot. *I am Groot*. I am Groot. I am Groot. I am Groot! I am Groot. I am Groot. I am Groot. I am Groot. I am Groot. I am Groot. I am Groot. I am Groot. **I am Groot**. I am Groot. I am Groot. I am Groot; I am Groot. I am Groot. I am Groot. I am Groot. <u>I am Groot</u>. I am Groot. I am Groot - I am Groot. I am Groot.

I am Groot. I am Groot. I am *Groot*. I am Groot. I am Groot. I am Groot. I am Groot. I am Groot. I am Groot; I am Groot. I am Groot. I am Groot. I am Groot! I am Groot. I am Groot. I am Groot. I am Groot.. I am Groot. I am Groot. I am Groot. I am Groot. I am Groot. I am Groot. I am *Groot*. I am Groot. I am Groot. I am Groot. I am Groot. I am Groot. I am Groot; I am Groot. I am Groot. I am Groot. I am Groot. I am Groot! I am Groot. I am Groot. I am Groot. I am Groot..

- 13 -

I am Groot. I am Groot. I am Groot. *I am Groot.* I am Groot. I am Groot. I am Groot! I am Groot. I am Groot. I am Groot. I am Groot. I am Groot. I am Groot. I am Groot. I am Groot. I am Groot. I am Groot. I am Groot. I am Groot; I am Groot. I am Groot. I am Groot. I am Groot. <u>I am Groot</u>. I am Groot. I am Groot - I am Groot. I am Groot.

I am Groot. I am Groot. I am *Groot.* I am Groot. I am Groot. I am Groot. I am Groot. I am Groot. I am Groot; I am Groot. I am Groot. I am Groot. I am Groot! I am Groot. I am Groot. I am Groot. I am Groot.. I am Groot. I am Groot. I am Groot. *I am Groot.* I am Groot. I am Groot. I am Groot! I am Groot. I am Groot. I am Groot. I am Groot. I am Groot. I am Groot. I am Groot. I am Groot. **I am Groot**. I am Groot. I am Groot. I am Groot; I am Groot. I am Groot. I am Groot. I am Groot. <u>I am Groot</u>. I am Groot. I am Groot - I am Groot. I am Groot. I am Groot. I am Groot. I am *Groot.* I am Groot. I am Groot. I am Groot. I am Groot. I am Groot. I am Groot; I am Groot. I am Groot. I am Groot. I am Groot! I am Groot. I am Groot. I am Groot. I am Groot.. I am Groot. I am Groot. I am Groot

I am Groot. I am Groot. I am *Groot.* I am Groot. I am Groot. I am Groot. I am Groot. I am Groot. I am Groot; I am Groot. I am Groot. I am Groot. I am Groot! I am Groot. I am Groot. I am Groot. I am Groot.. I am Groot. I am Groot. I am Groot. *I am Groot.* I am Groot. I am Groot. I am Groot! I am Groot. I am Groot. I am Groot. I am Groot. I am Groot. I am Groot. I am Groot. I am Groot. **I am Groot**. I am Groot. I am Groot. I am Groot; I am Groot. I am Groot. I am Groot. I am Groot. <u>I am Groot</u>. I am Groot! I am Groot - I am Groot. I am Groot. I am Groot. I am Groot. I am *Groot….* I am Groot. I am Groot. I am Groot. I am Groot. I am Groot. I am Groot; I am Groot. I am Groot. I am Groot. I am Groot! I am Groot. I am Groot. I am Groot. I am Groot.. I am Groot. I am Groot. I am Groot

I am Groot. I am Groot. I am *Groot*. I am Groot. I am Groot. I am Groot. I am Groot. I am Groot. I am Groot. I am *Groot*. I am Groot. I am Groot. I am Groot. I am Groot. I am Groot. I am Groot; I am Groot. I am Groot. I am Groot. I am Groot! I am Groot. I am Groot. I am Groot. I am Groot.. I am Groot. I am Groot. I am Groot. *I am Groot*. I am Groot. I am Groot. I am Groot! I am Groot…. I am Groot. I am Groot. I am Groot. I am Groot. I am Groot. I am Groot. I am Groot. **I am Groot**. I am Groot. I am Groot. I am Groot; I am Groot. I am Groot. I am Groot. I am Groot. <u>I am Groot</u>. I am Groot. I am Groot - I am Groot. I am Groot. I am Groot. I am Groot. I am *Groot*. I am Groot. I am Groot. I am Groot. I am Groot. I am Groot. I am Groot; I am Groot. I am Groot. I am Groot. I am Groot! I am Groot. I am Groot. I am Groot. I am Groot.. I am Groot. I am Groot. I am Groot

I am Groot. I am Groot; I am Groot. I am Groot. I am Groot. I am Groot! I am Groot. I am Groot. I am Groot. I am Groot.. I am Groot. I am Groot. I am Groot. *I am Groot*. I am Groot. I am Groot. I am Groot! I am Groot. I am Groot. I am Groot. I am Groot. I am Groot. I am Groot. I am Groot. I am Groot. **I am Groot**. I am Groot. I am Groot. I am Groot; I am Groot. I am Groot. I am Groot. I am Groot. <u>I am Groot</u>. I am Groot. I am Groot - I am Groot. I am Groot. I am Groot. I am Groot. I am *Groot*. I am Groot. I am Groot. I am Groot. I am Groot. I am Groot. I am Groot; I am Groot. I am Groot. I am Groot. I am Groot! I am Groot. I am Groot. I am Groot. I am Groot.. I am Groot. I am Groot. I am Groot. I am Groot. I am Groot. I am *Groot*. I am Groot. I am Groot. I am Groot. I am Groot. I am Groot…... I am Groot; I am Groot. I am Groot. I am Groot. I am Groot! I am Groot. I am Groot. I am Groot. I am Groot.. I am Groot. I am Groot. I am Groot. *I am Groot*. I am Groot. I am Groot. I am Groot! I am Groot. I am Groot. I am Groot. I am Groot. I am Groot. I am Groot. I am Groot. I am Groot. **I am Groot**. I am Groot. I am Groot.

I am Groot; I am Groot. I am Groot. I am Groot. I am Groot. <u>I am Groot</u>. I am Groot. I am Groot - I am Groot. I am Groot. I am Groot. I am Groot. I am *Groot*. I am Groot. I am Groot. I am Groot. I am Groot. I am Groot. I am Groot; I am Groot. I am Groot. I am Groot. I am Groot! I am Groot. I am Groot. I am Groot. I am Groot.. I am Groot. I am Groot. I am Groot….**I am Groot**. I am Groot. I am Groot. I am Groot; I am Groot. I am Groot. I am Groot. I am Groot. <u>I am Groot</u>. I am Groot. I am Groot - I am Groot. I am Groot. I am Groot. I am Groot. I am *Groot*. I am Groot. I am Groot. I am Groot. I am Groot. I am Groot. I am Groot; I am Groot. I am Groot. I am Groot. I am Groot! I am Groot. I am Groot. I am Groot. I am Groot.. I am Groot. I am Groot. I am Groot

I am Groot. I am Groot. I am Groot. <u>I am Groot</u>. I am Groot. I am Groot - I am Groot. I am Groot. I am Groot. I am Groot. I am *Groot*. I am Groot. I am Groot….. I am Groot. I am Groot. I am Groot. I am Groot; I am Groot. I am Groot. I am Groot. I am Groot! I am Groot. I am Groot. I am Groot. I am Groot.. I am Groot. I am Groot. I am Groot….**I am Groot**. I am Groot. I am Groot. I am Groot; I am Groot. I am Groot. I am Groot. I am Groot. <u>I am Groot</u>. I am Groot. I am Groot - I am Groot. I am Groot. I am Groot. I am Groot. I am *Groot*. I am Groot. I am Groot. I am Groot. I am Groot. I am Groot; I am Groot. I am Groot. I am Groot. I am Groot! I am Groot. I am Groot. I am Groot. I am Groot.. I am Groot. I am Groot. I am Groot.

I am Groot. I am Groot. I am *Groot*. I am Groot. I am Groot. I am Groot. I am Groot. I am Groot. I am Groot; I am Groot. I am Groot. I am Groot. I am Groot. I am Groot! I am Groot. I am Groot. I am Groot. I am Groot. I am Groot. I am Groot. I am Groot. *I am Groot*. I am Groot. I am Groot. I am Groot! I am Groot. I am Groot. I am Groot. I am Groot. I am Groot. I am Groot. I am Groot. I am Groot. **I am Groot**. I am Groot. I am Groot. I am Groot; I am Groot.

I am Groot. I am Groot. I am Groot. <u>I am Groot</u>. I am Groot. I am Groot - I am Groot. I am Groot..

I am Groot. I am Groot. I am Groot. I am Groot. I am Groot. *I am Groot*. I am Groot. I am Groot. I am Groot! I am Groot. I am Groot. I am Groot. I am Groot. I am Groot. I am Groot. I am Groot. I am Groot. **I am Groot**. I am Groot. I am Groot. I am Groot; I am Groot. I am Groot. I am Groot. I am Groot. <u>I am Groot</u>. I am Groot. I am Groot - I am Groot. I am Groot.. I am Groot. I am Groot. I am *Groot*. I am Groot. I am Groot. I am Groot. I am Groot. I am Groot. I am Groot; I am Groot. I am Groot. I am Groot. I am Groot! I am Groot. I am Groot. I am Groot. I am Groot. I am Groot. I am Groot. I am Groot. I am Groot. *I am Groot*. I am Groot. I am Groot. I am Groot! I am Groot. I am Groot. I am Groot. I am Groot. I am Groot. I am Groot. I am Groot. I am Groot. **I am Groot**. I am Groot. I am Groot. I am Groot; I am Groot. I am Groot. I am Groot. I am Groot. <u>I am Groot</u>. I am Groot. I am Groot - I am Groot. I am Groot.. I am Groot. I am Groot. I am Groot. I am Groot. I am Groot. I am Groot. I am Groot. **I am Groot**. I am Groot. I am Groot. I am Groot; I am Groot. I am Groot. I am Groot. I am Groot. <u>I am Groot</u>. I am Groot. I am Groot - I am Groot. I am Groot..

I am Groot.

I am Groot. I am Groot. I am *Groot*. I am Groot. I am Groot. I am Groot. I am Groot. I am Groot. I am Groot; I am Groot. I am Groot. I am Groot. I am Groot! I am Groot. I am Groot. I am Groot. I am Groot.. I am Groot. I am Groot. I am Groot. *I am Groot*. I am Groot. I am Groot. I am Groot! I am Groot. I am Groot. I am Groot. I am Groot. I am Groot. I am Groot. I am Groot. I am Groot. **I am Groot**. I am Groot. I am Groot. I am Groot; I am Groot.

I am Groot. I am Groot. I am Groot. <u>I am Groot</u>. I am Groot. I am Groot - I am Groot. I am Groot.

I am Groot. I am Groot. I am Groot. I am Groot. I am Groot. *I am Groot*. I am Groot. I am Groot. I am Groot! I am Groot. I am Groot. I am Groot. I am Groot. I am Groot. I am Groot. I am Groot. I am Groot. **I am Groot**. I am Groot. I am Groot. I am Groot; I am Groot. I am Groot. I am Groot. I am Groot. <u>I am Groot</u>. I am Groot. I am Groot - I am Groot.

I am Groot.. I am Groot. I am Groot. I am *Groot*. I am Groot. I am Groot. I am Groot. I am Groot. I am Groot. I am Groot; I am Groot. I am Groot. I am Groot. I am Groot! I am Groot. I am Groot. I am Groot. I am Groot. I am Groot. I am Groot. I am Groot. *I am Groot*. I am Groot. I am Groot. I am Groot! I am Groot. I am Groot. I am Groot. I am Groot. I am Groot. I am Groot. I am Groot. I am Groot. I am Groot. **I am Groot**. I am Groot. I am Groot. I am Groot; I am Groot. I am Groot. I am Groot. I am Groot. I am Groot. <u>I am Groot</u>. I am Groot. I am Groot - I am Groot. I am Groot.. I am Groot. I am Groot. I am Groot. I am Groot. I am Groot. I am Groot. I am Groot. **I am Groot**. I am Groot. I am Groot. I am Groot; I am Groot. I am Groot. I am Groot. I am Groot. <u>I am Groot</u>. I am Groot. I am Groot - I am Groot. I am Groot.

I am Groot. I am Groot. I am *Groot*. I am Groot. I am Groot. I am Groot. I am Groot. I am Groot. I am Groot; I am Groot. I am Groot. I am Groot. I am Groot! I am Groot. I am Groot. I am Groot. I am Groot.. I am Groot. I am Groot. I am Groot. *I am Groot*. I am Groot. I am Groot. I am Groot! I am Groot. I am Groot. I am Groot. I am Groot. I am Groot. I am Groot. I am Groot. I am Groot. **I am Groot**. I am Groot. I am Groot. I am Groot; I am Groot. I am Groot. I am Groot. I am Groot. I am Groot. <u>I am Groot</u>. I am Groot. I am Groot - I am Groot. I am Groot.

I am Groot. I am Groot. I am *Groot*. I am Groot. I am Groot. I am Groot. I am Groot. I am Groot. I am Groot;

I am Groot. I am Groot. I am Groot. I am Groot! I am Groot. I am Groot. I am Groot. I am Groot.. I am Groot. I am Groot. I am Groot. I am Groot. I am Groot. I am *Groot*. I am Groot. I am Groot. I am Groot. I am Groot. I am Groot. I am Groot; I am Groot. I am Groot. I am Groot. I am Groot! I am Groot. I am Groot. I am Groot. I am Groot.. I am Groot. I am Groot. I am Groot. *I am Groot*. I am Groot. I am Groot. I am Groot! I am Groot. I am Groot. I am Groot. I am Groot. I am Groot. I am Groot. I am Groot. I am Groot. I am Groot. I am Groot. I am Groot. I am Groot; I am Groot. I am Groot. I am Groot. I am Groot. <u>I am Groot</u>. I am Groot. I am Groot - I am Groot. I am Groot.

I am Groot. I am Groot. I am *Groot*. I am Groot. I am Groot. I am Groot. I am Groot. I am Groot. I am Groot; I am Groot. I am Groot. I am Groot. I am Groot! I am Groot. I am Groot. I am Groot. I am Groot.. I am Groot. I am Groot. I am Groot. *I am Groot*. I am Groot. I am Groot. I am Groot! I am Groot. I am Groot. I am Groot. I am Groot. I am Groot. I am Groot. I am Groot. I am Groot. **I am Groot**. I am Groot. I am Groot. I am Groot; I am Groot. I am Groot. I am Groot. I am Groot. <u>I am Groot</u>. I am Groot. I am Groot - I am Groot. I am Groot. I am Groot. I am Groot. I am *Groot*. I am Groot. I am Groot. I am Groot. I am Groot. I am Groot. I am Groot; I am Groot. I am Groot. I am Groot! I am Groot. I am Groot. I am Groot. I am Groot.. I am Groot. I am Groot. I am Groot

I am Groot. I am Groot. I am *Groot*. I am Groot. I am Groot. I am Groot. I am Groot. I am Groot. I am Groot; I am Groot. I am Groot. I am Groot. I am Groot! I am Groot. I am Groot. I am Groot. I am Groot.. I am Groot. I am Groot. I am Groot. *I am Groot*. I am Groot. I am Groot. I am Groot! I am Groot. I am Groot. I am Groot. I am Groot. I am Groot. I am Groot. I am Groot. I am Groot. **I am Groot**. I am Groot. I am Groot. I am Groot; I am Groot. I am Groot. I am Groot. I am Groot. <u>I am Groot</u>. I am Groot! I am Groot - I am Groot. I am Groot. I am Groot. I am Groot. I am *Groot*…. I am Groot. I am Groot. I am Groot. I am Groot. I am Groot. I am Groot; I am Groot. I am Groot. I am Groot. I am Groot! I am Groot. I am Groot. I am Groot. I am Groot.. I am Groot. I am Groot. I am Groot

I am Groot. I am Groot. I am *Groot*. I am Groot. I am Groot. I am Groot. I am Groot. I am Groot. I am Groot. I am *Groot*. I am Groot. I am Groot. I am Groot. I am Groot. I am Groot. I am Groot; I am Groot. I am Groot. I am Groot. I am Groot! I am Groot. I am Groot. I am Groot. I am Groot.. I am Groot. I am Groot. I am Groot. *I am Groot*. I am Groot. I am Groot. I am Groot! I am Groot…. I am Groot. I am Groot. I am Groot. I am Groot. I am Groot. I am Groot. I am Groot. **I am Groot**. I am Groot. I am Groot. I am Groot; I am Groot. I am Groot. I am Groot. I am Groot. <u>I am Groot</u>. I am Groot. I am Groot - I am Groot. I am Groot. I am Groot. I am Groot. I am *Groot*. I am Groot. I am Groot. I am Groot. I am Groot. I am Groot. I am Groot; I am Groot. I am Groot. I am Groot. I am Groot! I am Groot. I am Groot. I am Groot. I am Groot.. I am Groot. I am Groot. I am Groot

I am Groot. I am Groot; I am Groot. I am Groot. I am Groot. I am Groot! I am Groot. I am Groot. I am Groot. I am Groot.. I am Groot. I am Groot. I am Groot. *I am Groot*. I am Groot. I am Groot. I am Groot! I am Groot. I am Groot. I am Groot. I am Groot. I am Groot. I am Groot. I am Groot. I am Groot. **I am Groot**. I am Groot. I am Groot. I am Groot; I am Groot. I am Groot. I am Groot. I am Groot. <u>I am Groot</u>. I am Groot. I am Groot - I am Groot. I am Groot. I am Groot. I am Groot. I am *Groot*. I am Groot. I am Groot. I am Groot. I am Groot. I am Groot. I am Groot; I am Groot. I am Groot. I am Groot. I am Groot! I am Groot. I am Groot. I am Groot. I am Groot.. I am Groot. I am Groot. I am Groot. I am Groot. I am *Groot*. I am Groot. I am Groot. I am Groot. I am Groot. I am Groot…... I am Groot; I am Groot. I am Groot. I am

Groot. I am Groot! I am Groot. I am Groot. I am Groot. I am Groot.. I am Groot. I am Groot. I am Groot. *I am Groot.* I am Groot. I am Groot. I am Groot! I am Groot. I am Groot. I am Groot. I am Groot. I am Groot. I am Groot. I am Groot. I am Groot. **I am Groot**. I am Groot. I am Groot. I am Groot; I am Groot. I am Groot. I am Groot. I am Groot. <u>I am Groot</u>. I am Groot. I am Groot - I am Groot. I am Groot. I am Groot. I am Groot. I am *Groot*. I am Groot. I am Groot. I am Groot. I am Groot. I am Groot. I am Groot; I am Groot. I am Groot. I am Groot. I am Groot! I am Groot. I am Groot. I am Groot. I am Groot.. I am Groot. I am Groot. I am Groot....**I am Groot**. I am Groot. I am Groot. I am Groot; I am Groot. I am Groot. I am Groot. I am Groot. <u>I am Groot</u>. I am Groot. I am Groot - I am Groot. I am Groot. I am Groot. I am Groot. I am Groot. I am *Groot*. I am Groot. I am Groot. I am Groot. I am Groot. I am Groot. I am Groot; I am Groot. I am Groot. I am Groot. I am Groot! I am Groot. I am Groot. I am Groot. I am Groot.. I am Groot. I am Groot. I am Groot

I am Groot. I am Groot. I am Groot. <u>I am Groot</u>. I am Groot. I am Groot - I am Groot. I am Groot. I am Groot. I am Groot. I am *Groot*. I am Groot. I am Groot..... I am Groot. I am Groot. I am Groot. I am Groot; I am Groot. I am Groot. I am Groot. I am Groot! I am Groot. I am Groot. I am Groot. I am Groot.. I am Groot. I am Groot. I am Groot....**I am Groot**. I am Groot. I am Groot. I am Groot; I am Groot. I am Groot. I am Groot. I am Groot. <u>I am Groot</u>. I am Groot. I am Groot - I am Groot. I am Groot. I am Groot. I am Groot. I am *Groot*. I am Groot. I am Groot. I am Groot. I am Groot. I am Groot. I am Groot; I am Groot. I am Groot. I am Groot. I am Groot! I am Groot. I am Groot. I am Groot. I am Groot.. I am Groot. I am Groot. I am Groot.

I am Groot. I am Groot. I am *Groot*. I am Groot. I am Groot. I am Groot. I am Groot. I am Groot. I am Groot; I am Groot. I am Groot. I am Groot. I am Groot! I am

Groot. I am Groot. I am Groot. I am Groot. I am Groot. I am Groot. I am Groot. *I am Groot.* I am Groot. I am Groot. I am Groot! I am Groot. I am Groot. I am Groot. I am Groot. I am Groot. I am Groot. I am Groot. I am Groot. **I am Groot**. I am Groot. I am Groot. I am Groot; I am Groot. I am Groot. I am Groot. I am Groot. <u>I am Groot</u>. I am Groot. I am Groot. I am Groot - I am Groot. I am Groot..

I am Groot. I am Groot. I am Groot. I am Groot. I am Groot. *I am Groot.* I am Groot. I am Groot. I am Groot! I am Groot. I am Groot. I am Groot. I am Groot. I am Groot. I am Groot. I am Groot. I am Groot. **I am Groot**. I am Groot. I am Groot. I am Groot; I am Groot. I am Groot. I am Groot. I am Groot. <u>I am Groot</u>. I am Groot. I am Groot - I am Groot. I am Groot.. I am Groot. I am Groot. I am *Groot.* I am Groot. I am I am Groot. I am Groot. I am Groot. I am Groot. I am Groot; I am Groot. I am Groot. I am Groot. I am Groot! I am Groot. I am Groot. I am Groot. I am Groot. I am Groot. I am Groot. I am Groot. *I am Groot.* I am Groot. I am Groot. I am Groot! I am Groot. I am Groot. I am Groot. I am Groot. I am Groot. I am Groot. I am Groot. I am Groot. **I am Groot**. I am Groot. I am Groot. I am Groot; I am Groot. I am Groot. I am Groot. I am Groot. <u>I am Groot</u>. I am Groot. I am Groot - I am Groot. I am Groot.. I am Groot. I am Groot. I am Groot. I am Groot. I am Groot. I am Groot. I am Groot. **I am Groot**. I am Groot. I am Groot. I am Groot; I am Groot. I am Groot. I am Groot. I am Groot. I am Groot. <u>I am Groot</u>. I am Groot. I am Groot - I am am Groot. I am Groot..

I am Groot.

I am Groot. I am Groot. I am *Groot.* I am Groot. I am Groot. I am Groot. I am Groot. I am Groot. I am Groot; I am Groot. I am Groot. I am Groot. I am Groot! I am Groot. I am Groot. I am Groot. I am Groot.. I am Groot. I am Groot. I am Groot. *I am Groot.* I am Groot. I am Groot. I am Groot! I am Groot. I am Groot. I am Groot. I am Groot. I am Groot. I am Groot. I am Groot. I am Groot. **I am Groot**. I am Groot. I am Groot. I am Groot; I am Groot. I am Groot. I am Groot. I am Groot. I am Groot. I am Groot. I am Groot - I am Groot. I am Groot.

I am Groot. I am Groot. I am Groot. I am Groot. I am Groot. *I am Groot.* I am Groot. I am Groot. I am Groot! I am Groot. I am Groot. I am Groot. I am Groot. I am Groot. I am Groot. I am Groot. I am Groot. **I am Groot.** I am Groot. I am Groot. I am Groot; I am Groot. I am Groot. I am Groot. I am Groot. I am Groot. I am Groot. I am Groot - I am Groot. I am Groot.. I am Groot. I am Groot. I am *Groot.* I am Groot. I am Groot. I am Groot. I am Groot. I am Groot. I am Groot; I am Groot. I am Groot. I am Groot. I am Groot! I am Groot. I am Groot. I am Groot. I am Groot. I am Groot. I am Groot. I am Groot. *I am Groot.* I am Groot. I am Groot. I am Groot! I am Groot. I am Groot. I am Groot. I am Groot. I am Groot.

I am Groot

I am Groot. I am Groot. I am Groot. **I am Groot**. I am Groot. I am Groot. I am Groot; I am Groot. I am Groot. I am Groot. I am Groot. <u>I am Groot</u>. I am Groot. I am Groot - I am Groot. I am Groot.. I am Groot. I am Groot. I am Groot. I am Groot. I am Groot. I am Groot. I am Groot. **I am Groot**. I am Groot. I am Groot. I am Groot; I am Groot. I am Groot. I am Groot. I am Groot. <u>I am Groot</u>. I am Groot. I am Groot - I am Groot. I am Groot.

I am Groot. I am Groot. I am *Groot*. I am Groot. I am Groot. I am Groot. I am Groot. I am Groot. I am Groot; I am Groot. I am Groot. I am Groot. I am Groot! I am Groot. I am Groot. I am Groot. I am Groot.. I am Groot. I am Groot. I am Groot. *I am Groot*. I am Groot. I am Groot. I am Groot! I am Groot. I am Groot. I am Groot. I am Groot. I am Groot. I am Groot. I am Groot. I am Groot. **I am Groot**. I am Groot. I am Groot. I am Groot; I am Groot. I am Groot. I am Groot. I am Groot. <u>I am Groot</u>. I am Groot. I am Groot - I am Groot. I am Groot.

I am Groot. I am Groot. I am *Groot*. I am Groot. I am Groot. I am Groot. I am Groot. I am Groot. I am Groot; I am Groot. I am Groot. I am Groot. I am Groot! I am Groot. I am Groot. I am Groot. I am Groot.. I am Groot. I am Groot. I am Groot. I am Groot. I am *Groot*. I am Groot. I am Groot. I am Groot. I am Groot. I am Groot. I am Groot; I am Groot. I am Groot. I am Groot. I am Groot! I am Groot. I am Groot. I am Groot. I am Groot.. I am Groot. I am Groot. I am Groot. *I am Groot*. I am Groot. I am Groot. I am Groot! I am Groot. I am Groot. I am Groot. I am Groot. I am Groot. I am Groot. I am Groot. I am Groot. I am Groot. I am Groot. I am Groot. I am Groot; I am Groot. I am Groot. I am Groot. I am Groot. <u>I am Groot</u>. I am Groot. I am Groot - I am Groot. I am Groot.

I am Groot. I am Groot. I am *Groot*. I am Groot. I am Groot. I am Groot. I am Groot. I am Groot. I am Groot; I am Groot. I am Groot. I am Groot. I am Groot! I am Groot. I am Groot. I am Groot. I am Groot.. I am Groot. I am Groot. I am Groot. *I am Groot*. I am Groot. I am Groot. I am Groot! I am Groot. I am Groot. I am Groot. I am Groot. I am Groot. I am Groot. I am Groot. I am Groot. **I am Groot**. I am Groot. I am Groot. I am Groot; I am Groot. I am Groot. I am Groot. I am Groot. <u>I am Groot</u>. I am Groot. I am Groot - I am Groot. I am Groot. I am Groot. I am Groot. I am *Groot*. I am Groot. I am Groot. I am Groot. I am Groot. I am Groot. I am Groot; I am Groot. I am Groot. I am Groot. I am Groot! I am Groot. I am Groot. I am Groot. I am Groot.. I am Groot. I am Groot. I am Groot

I am Groot. I am Groot. I am *Groot*. I am Groot. I am Groot. I am Groot. I am Groot. I am Groot. I am Groot; I am Groot. I am Groot. I am Groot. I am Groot! I am Groot. I am Groot. I am Groot. I am Groot.. I am Groot. I am Groot. I am Groot. *I am Groot*. I am Groot. I am Groot. I am Groot! I am Groot. I am Groot. I am Groot. I am Groot. I am Groot. I am Groot. I am Groot. I am Groot. **I am Groot**. I am Groot. I am Groot. I am Groot; I am Groot. I am Groot. I am Groot. I am Groot. <u>I am Groot</u>. I am Groot! I am Groot - I am Groot. I am Groot. I am Groot. I am Groot. I am *Groot*.... I am Groot. I am Groot. I am Groot. I am Groot. I am Groot. I am Groot; I am Groot. I am Groot. I am Groot. I am Groot! I am Groot. I am Groot. I am Groot. I am Groot.. I am Groot. I am Groot. I am Groot

I am Groot. I am Groot. I am *Groot*. I am Groot. I am Groot. I am Groot. I am Groot. I am Groot. I am Groot. I am *Groot*. I am Groot. I am Groot. I am Groot. I am Groot. I am Groot. I am Groot; I am Groot. I am Groot. I am Groot. I am Groot! I am Groot. I am Groot. I am Groot. I am Groot.. I am Groot. I am Groot. I am Groot. *I am Groot*. I am Groot. I am Groot. I am Groot! I am Groot.... I am Groot. I am Groot. I am Groot. I am Groot. I am Groot. I am Groot. I am Groot. **I am Groot**. I am Groot. I am Groot. I am Groot; I am Groot. I am Groot. I am Groot. I am Groot. <u>I am Groot</u>. I am Groot. I am Groot - I am Groot. I am Groot. I am Groot. I am Groot. I am *Groot*. I am Groot. I am Groot. I am Groot. I am Groot. I am Groot. I am Groot; I am Groot. I am Groot. I am Groot. I am Groot! I am Groot. I am Groot. I am Groot. I am Groot.. I am Groot. I am Groot. I am Groot

      I am Groot. I am Groot; I am Groot. I am Groot. I am Groot. I am Groot! I am Groot. I am Groot. I am Groot. I am Groot.. I am Groot. I am Groot. I am Groot. *I am Groot*. I am Groot. I am Groot. I am Groot! I am Groot. I am Groot. I am Groot. I am Groot. I am Groot. I am Groot. I am Groot. I am Groot. **I am Groot**. I am Groot. I am Groot. I am Groot; I am Groot. I am Groot. I am Groot. I am Groot. <u>I am Groot</u>. I am Groot. I am Groot - I am Groot. I am Groot. I am Groot. I am Groot. I am *Groot*. I am Groot. I am Groot. I am Groot. I am Groot. I am Groot. I am Groot; I am Groot. I am Groot. I am Groot. I am Groot! I am Groot. I am Groot. I am Groot. I am Groot.. I am Groot. I am Groot. I am Groot. I am Groot. I am Groot. I am *Groot*. I am Groot. I am Groot. I am Groot. I am Groot. I am Groot...... I am Groot; I am Groot. I am Groot. I am Groot. I am Groot! I am Groot. I am Groot. I am Groot. I am Groot.. I am Groot. I am Groot. I am Groot. *I am Groot*. I am Groot. I am Groot. I am Groot! I am Groot. I am Groot. I am Groot. I am Groot. I am Groot. I am Groot. I am Groot. I am Groot. **I am Groot**. I am Groot. I am Groot. I am Groot; I am Groot. I am Groot. I am Groot. I am Groot. <u>I am Groot</u>. I am Groot. I am Groot - I am Groot. I am Groot. I am Groot. I am Groot. I am *Groot*. I am Groot. I am Groot. I am Groot. I am Groot. I am Groot. I am Groot; I am Groot. I am Groot. I am Groot. I am Groot! I am Groot. I am Groot. I am Groot. I am Groot.. I am Groot. I am Groot. I am Groot....**I am Groot**. I am Groot. I am

Groot. I am Groot; I am Groot. I am Groot. I am Groot. I am Groot. <u>I am Groot</u>. I am Groot. I am Groot - I am Groot. I am Groot. I am Groot. I am Groot. I am *Groot*. I am Groot. I am Groot. I am Groot. I am Groot. I am Groot. I am Groot; I am Groot. I am Groot. I am Groot. I am Groot! I am Groot. I am Groot. I am Groot. I am Groot.. I am Groot. I am Groot. I am Groot

I am Groot. I am Groot. I am Groot. <u>I am Groot</u>. I am Groot. I am Groot - I am Groot. I am Groot. I am Groot. I am Groot. I am *Groot*. I am Groot. I am Groot….. I am Groot. I am Groot. I am Groot. I am Groot; I am Groot. I am Groot. I am Groot. I am Groot! I am Groot. I am Groot. I am Groot. I am Groot.. I am Groot. I am Groot. I am Groot….**I am Groot**. I am Groot. I am Groot. I am Groot; I am Groot. I am Groot. I am Groot. I am Groot. <u>I am Groot</u>. I am Groot. I am Groot - I am Groot. I am Groot. I am Groot. I am Groot. I am *Groot*. I am Groot. I am Groot. I am Groot. I am Groot. I am Groot. I am Groot; I am Groot. I am Groot. I am Groot. I am Groot! I am Groot. I am Groot. I am Groot. I am Groot.. I am Groot. I am Groot. I am Groot.

I am Groot. I am Groot. I am *Groot*. I am Groot. I am Groot. I am Groot. I am Groot. I am Groot. I am Groot; I am Groot. I am Groot. I am Groot. I am Groot! I am Groot. I am Groot. I am Groot. I am Groot. I am Groot. I am Groot. I am Groot. *I am Groot*. I am Groot. I am Groot. I am Groot! I am Groot. I am Groot. I am Groot. I am Groot. I am Groot. I am Groot. I am Groot. I am Groot. **I am Groot**. I am Groot. I am Groot. I am Groot; I am Groot. I am Groot. I am Groot. I am Groot. <u>I am Groot</u>. I am Groot. I am Groot - I am Groot. I am Groot..

I am Groot. I am Groot. I am Groot. I am Groot. I am Groot. *I am Groot*. I am Groot. I am Groot. I am Groot! I am Groot. I am Groot. I am Groot. I am Groot. I am Groot. I am Groot. I am Groot. I am Groot. **I am Groot**. I am Groot. I am Groot. I am Groot; I am Groot. I am Groot.

I am Groot. I am Groot. <u>I am Groot</u>. I am Groot. I am Groot
- I am Groot. I am Groot.. I am Groot. I am Groot. I am
Groot. I am Groot. I am Groot. I am Groot. I am Groot. I
am Groot. I am Groot; I am Groot. I am Groot. I am Groot.
I am Groot! I am Groot. I am Groot. I am Groot. I am
Groot. I am Groot. I am Groot. I am Groot. *I am Groot*. I
am Groot. I am Groot. I am Groot! I am Groot. I am Groot.
I am Groot. I am Groot. I am Groot. I am Groot. I am
Groot. I am Groot. **I am Groot**. I am Groot. I am Groot. I
am Groot; I am Groot. I am Groot. I am Groot. I am Groot.
<u>I am Groot</u>. I am Groot. I am Groot - I am Groot. I am
Groot.. I am Groot. I am Groot. I am Groot. I am Groot. I
am Groot. I am Groot. I am Groot. **I am Groot**. I am Groot.
I am Groot. I am Groot; I am Groot. I am Groot. I am
Groot. I am Groot. <u>I am Groot</u>. I am Groot. I am Groot - I
am Groot. I am Groot..

I am Groot.

I am Groot. I am Groot. I am *Groot*. I am Groot. I
am Groot. I am Groot. I am Groot. I am Groot. I am Groot;
I am Groot. I am Groot. I am Groot. I am Groot! I am
Groot. I am Groot. I am Groot. I am Groot.. I am Groot. I
am Groot. I am Groot. *I am Groot*. I am Groot. I am Groot.
I am Groot! I am Groot. I am Groot. I am Groot. I am
Groot. I am Groot. I am Groot. I am Groot. I am Groot. **I
am Groot**. I am Groot. I am Groot. I am Groot; I am Groot.
I am Groot. I am Groot. I am Groot. <u>I am Groot</u>. I am
Groot. I am Groot - I am Groot. I am Groot.
I am Groot. I am Groot. I am Groot. I am Groot. I
am Groot. *I am Groot*. I am Groot. I am Groot. I am Groot!
I am Groot. I am Groot. I am Groot. I am Groot. I am
Groot. I am Groot. I am Groot. I am Groot. **I am Groot**. I
am Groot. I am Groot. I am Groot; I am Groot. I am Groot.
I am Groot. I am Groot. <u>I am Groot</u>. I am Groot. I am Groot

- I am Groot. I am Groot.. I am Groot. I am Groot. I am *Groot*. I am Groot. I am Groot. I am Groot. I am Groot. I am Groot. I am Groot; I am Groot. I am Groot. I am Groot. I am Groot! I am Groot. I am Groot. I am Groot. I am Groot. I am Groot. I am Groot. I am Groot. *I am Groot*. I am Groot. I am Groot. I am Groot! I am Groot. I am Groot. I am Groot. I am Groot. I am Groot. I am Groot. I am Groot. I am Groot. **I am Groot**. I am Groot. I am Groot. I am Groot; I am Groot. I am Groot. I am Groot. I am Groot. <u>I am Groot</u>. I am Groot. I am Groot - I am Groot. I am Groot.. I am Groot. I am Groot. I am Groot. I am Groot. I am Groot. I am Groot. I am Groot. **I am Groot**. I am Groot. I am Groot. I am Groot; I am Groot. I am Groot. I am Groot. I am Groot. I am Groot. <u>I am Groot</u>. I am Groot. I am Groot - I am Groot. I am Groot.

I am Groot. I am Groot. I am *Groot*. I am Groot. I am Groot. I am Groot. I am Groot. I am Groot. I am Groot; I am Groot. I am Groot. I am Groot. I am Groot! I am Groot. I am Groot. I am Groot. I am Groot.. I am Groot. I am Groot. I am Groot. *I am Groot*. I am Groot. I am Groot. I am Groot! I am Groot. I am Groot. I am Groot. I am Groot. I am Groot. I am Groot. I am Groot. I am Groot. **I am Groot**. I am Groot. I am Groot. I am Groot; I am Groot. I am Groot. I am Groot. I am Groot. <u>I am Groot</u>. I am Groot. I am Groot - I am Groot. I am Groot.

I am Groot. I am Groot. I am *Groot*. I am Groot. I am Groot. I am Groot. I am Groot. I am Groot. I am Groot; I am Groot. I am Groot. I am Groot. I am Groot! I am Groot. I am Groot. I am Groot. I am Groot.. I am Groot. I am Groot. I am Groot. I am Groot. I am Groot. I am *Groot*. I am Groot. I am Groot. I am Groot. I am Groot. I am Groot. I am Groot; I am Groot. I am Groot. I am Groot. I am Groot! I am Groot. I am Groot. I am Groot. I am Groot.. I am Groot. I am Groot. I am Groot. *I am Groot*. I am Groot. I am Groot. I am Groot! I am Groot. I am Groot. I am Groot. I am Groot. I am Groot. I am Groot. I am Groot.

I am Groot. I am Groot. I am Groot. I am Groot. I am Groot; I am Groot. I am Groot. I am Groot. I am Groot. I am Groot. I am Groot. I am Groot. I am Groot - I am Groot. I am Groot.

I am Groot. I am Groot. I am *Groot*. I am Groot. I am Groot. I am Groot. I am Groot. I am Groot. I am Groot; I am Groot. I am Groot. I am Groot. I am Groot! I am Groot. I am Groot. I am Groot. I am Groot.. I am Groot. I am Groot. I am Groot. *I am Groot*. I am Groot. I am Groot. I am Groot! I am Groot. I am Groot. I am Groot. I am Groot. I am Groot. I am Groot. I am Groot. I am Groot. **I am Groot**. I am Groot. I am Groot. I am Groot; I am Groot. I am Groot. I am Groot. I am Groot. <u>I am Groot</u>. I am Groot. I am Groot - I am Groot. I am Groot. I am Groot. I am Groot. I am *Groot*. I am Groot. I am Groot. I am Groot. I am Groot. I am Groot. I am Groot; I am Groot. I am Groot. I am Groot. I am Groot! I am Groot. I am Groot. I am Groot. I am Groot.. I am Groot. I am Groot. I am Groot

I am Groot. I am Groot. I am *Groot*. I am Groot. I am Groot. I am Groot. I am Groot. I am Groot. I am Groot; I am Groot. I am Groot. I am Groot. I am Groot! I am Groot. I am Groot. I am Groot. I am Groot.. I am Groot. I am Groot. I am Groot. *I am Groot*. I am Groot. I am Groot. I am Groot! I am Groot. I am Groot. I am Groot. I am Groot. I am Groot. I am Groot. I am Groot. I am Groot. **I am Groot**. I am Groot. I am Groot. I am Groot; I am Groot. I am Groot. I am Groot. I am Groot. <u>I am Groot</u>. I am Groot! I am Groot - I am Groot. I am Groot. I am Groot. I am Groot. I am *Groot*.... I am Groot. I am Groot. I am Groot. I am Groot. I am Groot. I am Groot; I am Groot. I am Groot. I am Groot. I am Groot! I am Groot. I am Groot. I am Groot. I am Groot.. I am Groot. I am Groot. I am Groot

I am Groot. I am Groot. I am *Groot*. I am Groot. I am Groot. I am Groot. I am Groot. I am Groot. I am Groot. I am *Groot*. I am Groot. I am Groot. I am Groot. I am Groot. I am Groot. I am Groot; I am Groot. I am Groot. I am Groot. I am Groot! I am Groot. I am Groot. I am Groot. I am Groot.. I am Groot. I am Groot. I am Groot. *I am Groot*. I am Groot. I am Groot. I am Groot! I am Groot…. I am Groot. I am Groot. I am Groot. I am Groot. I am Groot. I am Groot. I am Groot. **I am Groot**. I am Groot. I am Groot. I am Groot; I am Groot. I am Groot. I am Groot. I am Groot. <u>I am Groot</u>. I am Groot. I am Groot - I am Groot. I am Groot. I am Groot. I am Groot. I am *Groot*. I am Groot. I am Groot. I am Groot. I am Groot. I am Groot. I am Groot; I am Groot. I am Groot. I am Groot. I am Groot! I am Groot. I am Groot. I am Groot. I am Groot.. I am Groot. I am Groot. I am Groot

    I am Groot. I am Groot; I am Groot. I am Groot. I am Groot. I am Groot! I am Groot. I am Groot. I am Groot. I am Groot.. I am Groot. I am Groot. I am Groot. *I am Groot*. I am Groot. I am Groot. I am Groot! I am Groot. I am Groot. I am Groot. I am Groot. I am Groot. I am Groot. I am Groot. I am Groot. **I am Groot**. I am Groot. I am Groot. I am Groot; I am Groot. I am Groot. I am Groot. I am Groot. <u>I am Groot</u>. I am Groot. I am Groot - I am Groot. I am Groot. I am Groot. I am Groot. I am *Groot*. I am Groot. I am Groot. I am Groot. I am Groot. I am Groot. I am Groot; I am Groot. I am Groot. I am Groot. I am Groot! I am Groot. I am Groot. I am Groot. I am Groot.. I am Groot. I am Groot. I am Groot. I am Groot. I am Groot. I am *Groot*. I am Groot. I am Groot. I am Groot. I am Groot. I am Groot…... I am Groot; I am Groot. I am Groot. I am Groot. I am Groot. I am Groot! I am Groot. I am Groot. I am Groot. I am Groot.. I am Groot. I am Groot. I am Groot. *I am Groot*. I am Groot. I am Groot. I am Groot! I am Groot. I am Groot. I am Groot. I am Groot. I am Groot. I am Groot. I am Groot. I am Groot. **I am Groot**. I am Groot. I am Groot. I am Groot; I am Groot. I am Groot. I am Groot. I am Groot. <u>I am Groot</u>. I am Groot. I am Groot - I am Groot. I am Groot. I am Groot. I am Groot. I am *Groot*. I am Groot. I am Groot. I am Groot. I am Groot. I am Groot. I am

Groot; I am Groot. I am Groot. I am Groot. I am Groot! I am Groot. I am Groot. I am Groot. I am Groot.. I am Groot. I am Groot. I am Groot.….**I am Groot**. I am Groot. I am Groot. I am Groot; I am Groot. I am Groot. I am Groot. I am Groot. <u>I am Groot</u>. I am Groot. I am Groot - I am Groot. I am Groot. I am Groot. I am Groot. I am *Groot*. I am Groot. I am Groot. I am Groot. I am Groot. I am Groot. I am Groot; I am Groot. I am Groot. I am Groot. I am Groot! I am Groot. I am Groot. I am Groot. I am Groot.. I am Groot. I am Groot. I am Groot

I am Groot. I am Groot. I am Groot. <u>I am Groot</u>. I am Groot. I am Groot - I am Groot. I am Groot. I am Groot. I am Groot. I am *Groot*. I am Groot. I am Groot….. I am Groot. I am Groot. I am Groot. I am Groot; I am Groot. I am Groot. I am Groot. I am Groot! I am Groot. I am Groot. I am Groot. I am Groot.. I am Groot. I am Groot. I am Groot.….**I am Groot**. I am Groot. I am Groot. I am Groot; I am Groot. I am Groot. I am Groot. I am Groot. <u>I am Groot</u>. I am Groot. I am Groot - I am Groot. I am Groot. I am Groot. I am Groot. I am *Groot*. I am Groot. I am Groot. I am Groot. I am Groot. I am Groot. I am Groot; I am Groot. I am Groot. I am Groot. I am Groot! I am Groot. I am Groot. I am Groot. I am Groot.. I am Groot. I am Groot. I am Groot.

I am Groot. I am Groot. I am *Groot*. I am Groot. I am Groot. I am Groot. I am Groot. I am Groot. I am Groot; I am Groot. I am Groot. I am Groot. I am Groot! I am Groot. I am Groot. I am Groot. I am Groot. I am Groot. I am Groot. I am Groot. *I am Groot*. I am Groot. I am Groot. I am Groot! I am Groot. I am Groot. I am Groot. I am Groot. I am Groot. I am Groot. I am Groot. I am Groot. **I am Groot**. I am Groot. I am Groot. I am Groot; I am Groot. I am Groot. I am Groot. I am Groot. <u>I am Groot</u>. I am Groot. I am Groot - I am Groot. I am Groot..

I am Groot. I am Groot. I am Groot. I am Groot. I am Groot. *I am Groot*. I am Groot. I am Groot. I am Groot!

I am Groot. I am Groot. I am Groot. I am Groot. I am Groot. I am Groot. I am Groot. I am Groot. **I am Groot**. I am Groot. I am Groot. I am Groot; I am Groot. I am Groot. I am Groot. I am Groot. <u>I am Groot</u>. I am Groot. I am Groot - I am Groot. I am Groot.. I am Groot. I am Groot. I am *Groot*. I am Groot. I am Groot. I am Groot. I am Groot. I am Groot. I am Groot; I am Groot. I am Groot. I am Groot. I am Groot! I am Groot. I am Groot. I am Groot. I am Groot. I am Groot. I am Groot. I am Groot. *I am Groot*. I am Groot. I am Groot. I am Groot! I am Groot. I am Groot. I am Groot. I am Groot. I am Groot. I am Groot. I am Groot. I am Groot. **I am Groot**. I am Groot.

I am Groot. I am Groot; I am Groot. I am Groot. I am Groot. I am Groot. <u>I am Groot</u>. I am Groot. I am Groot - I am Groot. I am Groot.. I am Groot. I am Groot. I am Groot. I am Groot. I am Groot. I am Groot. I am Groot. **I am Groot**. I am Groot. I am Groot. I am Groot; I am Groot. I am Groot. I am Groot. I am Groot. <u>I am Groot</u>. I am Groot. I am Groot - I am Groot. I am Groot.. I am Groot.

I am Groot. I am Groot. I am *Groot*. I am Groot. I am Groot. I am Groot. I am Groot. I am Groot. I am Groot; I am Groot. I am Groot. I am Groot. I am Groot! I am Groot. I am Groot. I am Groot. I am Groot.. I am Groot. I am Groot. I am Groot. *I am Groot*. I am Groot. I am Groot. I am Groot! I am Groot. I am Groot. I am Groot. I am Groot. I am Groot. I am Groot. I am Groot. I am Groot. **I am Groot**. I am Groot. I am Groot. I am Groot; I am Groot. I am Groot. I am Groot. I am Groot. <u>I am Groot</u>. I am Groot. I am Groot - I am Groot. I am Groot.

I am Groot. I am Groot. I am Groot. I am Groot. I am Groot. *I am Groot*. I am Groot. I am Groot. I am Groot! I am Groot. I am Groot. I am Groot. I am Groot. I am Groot. I am Groot. I am Groot. I am Groot. **I am Groot**. I am Groot. I am Groot. I am Groot; I am Groot. I am Groot. I am Groot. I am Groot. <u>I am Groot</u>. I am Groot. I am Groot - I am Groot. I am Groot.. I am Groot. I am Groot. I am

Groot. I am Groot. I am Groot. I am Groot. I am Groot. I am Groot. I am Groot; I am Groot. I am Groot. I am Groot. I am Groot! I am Groot. I am Groot. I am Groot. I am Groot. I am Groot. I am Groot. I am Groot. *I am Groot*. I am Groot. I am Groot. I am Groot! I am Groot. I am Groot. I am Groot. I am Groot. I am Groot. I am Groot. I am Groot. I am Groot. **I am Groot**. I am Groot. I am Groot. I am Groot; I am Groot. I am Groot. I am Groot. I am Groot. <u>I am Groot</u>. I am Groot. I am Groot - I am Groot. I am Groot.. I am Groot. I am Groot. I am Groot. I am Groot. I am Groot. I am Groot. I am Groot. **I am Groot**. I am Groot. I am Groot. I am Groot; I am Groot. I am Groot. I am Groot. I am Groot. I am Groot. <u>I am Groot</u>. I am Groot. I am Groot - I am Groot. I am Groot.

I am Groot. I am Groot. I am *Groot*. I am Groot. I am Groot. I am Groot. I am Groot. I am Groot. I am Groot; I am Groot. I am Groot. I am Groot. I am Groot! I am Groot. I am Groot. I am Groot. I am Groot.. I am Groot. I am Groot. I am Groot. *I am Groot*. I am Groot. I am Groot. I am Groot! I am Groot. I am Groot. I am Groot. I am Groot. I am Groot. I am Groot. I am Groot. I am Groot. **I am Groot**. I am Groot. I am Groot. I am Groot; I am Groot. I am Groot. I am Groot. I am Groot. <u>I am Groot</u>. I am Groot. I am Groot - I am Groot. I am Groot.

I am Groot. I am Groot. I am *Groot*. I am Groot. I am Groot. I am Groot. I am Groot. I am Groot. I am Groot; I am Groot. I am Groot. I am Groot. I am Groot! I am Groot. I am Groot. I am Groot. I am Groot.. I am Groot. I am Groot. I am Groot. I am Groot. I am Groot. I am *Groot*. I am Groot. I am Groot. I am Groot. I am Groot. I am Groot. I am Groot; I am Groot. I am Groot. I am Groot. I am Groot! I am Groot. I am Groot. I am Groot. I am Groot.. I am Groot. I am Groot. I am Groot. *I am Groot*. I am Groot. I am Groot. I am Groot! I am Groot. I am Groot. I am Groot. I am Groot. I am Groot. I am Groot. I am Groot. I am Groot. I am Groot. I am Groot. I am Groot. I am Groot. I am

Groot; I am Groot. I am Groot. I am Groot. I am Groot. <u>I am Groot</u>. I am Groot. I am Groot - I am Groot. I am Groot.

I am Groot. I am Groot. I am *Groot*. I am Groot. I am Groot. I am Groot. I am Groot. I am Groot. I am Groot; I am Groot. I am Groot. I am Groot. I am Groot! I am Groot. I am Groot. I am Groot. I am Groot.. I am Groot. I am Groot. I am Groot. *I am Groot*. I am Groot. I am Groot. I am Groot! I am Groot. I am Groot. I am Groot. I am Groot. I am Groot. I am Groot. I am Groot. I am Groot. **I am Groot**. I am Groot. I am Groot. I am Groot; I am Groot. I am Groot. I am Groot. I am Groot. <u>I am Groot</u>. I am Groot. I am Groot - I am Groot. I am Groot. I am Groot. I am Groot. I am *Groot*. I am Groot. I am Groot. I am Groot. I am Groot. I am Groot. I am Groot; I am Groot. I am Groot. I am Groot. I am Groot! I am Groot. I am Groot. I am Groot. I am Groot.. I am Groot. I am Groot. I am Groot

I am Groot. I am Groot. I am *Groot*. I am Groot. I am Groot. I am Groot. I am Groot. I am Groot. I am Groot; I am Groot. I am Groot. I am Groot. I am Groot! I am Groot. I am Groot. I am Groot. I am Groot.. I am Groot. I am Groot. I am Groot. *I am Groot*. I am Groot. I am Groot. I am Groot! I am Groot. I am Groot. I am Groot. I am Groot. I am Groot. I am Groot. I am Groot. I am Groot. **I am Groot**. I am Groot. I am Groot. I am Groot; I am Groot. I am Groot. I am Groot. I am Groot. <u>I am Groot</u>. I am Groot! I am Groot - I am Groot. I am Groot. I am Groot. I am Groot. I am *Groot*…. I am Groot. I am Groot. I am Groot. I am Groot. I am Groot. I am Groot; I am Groot. I am Groot. I am Groot. I am Groot! I am Groot. I am Groot. I am Groot. I am Groot.. I am Groot. I am Groot. I am Groot

I am Groot. I am Groot. I am *Groot*. I am Groot. I am Groot. I am Groot. I am Groot. I am Groot. I am Groot. I am *Groot*. I am Groot. I am Groot. I am Groot. I am Groot. I am Groot. I am Groot. I am Groot; I am Groot. I am Groot. I am Groot. I am Groot! I am Groot. I am Groot. I am Groot.

I am Groot.. I am Groot. I am Groot. I am Groot. *I am Groot*. I am Groot. I am Groot. I am Groot! I am Groot.... I am Groot. I am Groot. I am Groot. I am Groot. I am Groot. I am Groot. I am Groot. **I am Groot**. I am Groot. I am Groot. I am Groot; I am Groot. I am Groot. I am Groot. I am Groot. <u>I am Groot</u>. I am Groot. I am Groot - I am Groot. I am Groot. I am Groot. I am Groot. I am *Groot*. I am Groot. I am Groot. I am Groot. I am Groot. I am Groot. I am Groot; I am Groot. I am Groot. I am Groot. I am Groot! I am Groot. I am Groot. I am Groot. I am Groot.. I am Groot. I am Groot. I am Groot

      I am Groot. I am Groot; I am Groot. I am Groot. I am Groot. I am Groot! I am Groot. I am Groot. I am Groot. I am Groot.. I am Groot. I am Groot. I am Groot. *I am Groot*. I am Groot. I am Groot. I am Groot! I am Groot. I am Groot. I am Groot. I am Groot. I am Groot. I am Groot. I am Groot. **I am Groot**. I am Groot. I am Groot. I am Groot; I am Groot. I am Groot. I am Groot. I am Groot. <u>I am Groot</u>. I am Groot. I am Groot - I am Groot. I am Groot. I am Groot. I am Groot. I am *Groot*. I am Groot. I am Groot. I am Groot. I am Groot. I am Groot. I am Groot; I am Groot. I am Groot. I am Groot. I am Groot! I am Groot. I am Groot. I am Groot. I am Groot.. I am Groot. I am Groot. I am Groot. I am Groot. I am Groot. I am *Groot*. I am Groot. I am Groot. I am Groot. I am Groot. I am Groot....... I am Groot; I am Groot. I am Groot. I am Groot. I am Groot. I am Groot! I am Groot. I am Groot. I am Groot. I am Groot.. I am Groot. I am Groot. I am Groot. *I am Groot*. I am Groot. I am Groot. I am Groot! I am Groot. I am Groot. I am Groot. I am Groot. I am Groot. I am Groot. I am Groot. **I am Groot**. I am Groot. I am Groot. I am Groot; I am Groot. I am Groot. I am Groot. I am Groot. <u>I am Groot</u>. I am Groot. I am Groot - I am Groot. I am Groot. I am Groot. I am Groot. I am *Groot*. I am Groot. I am   Groot. I am Groot. I am Groot. I am Groot. I am Groot; I am Groot. I am Groot. I am Groot. I am Groot! I am Groot. I am Groot. I am Groot. I am Groot.. I am Groot. I am Groot. I am Groot....**I am Groot**. I am Groot. I am Groot. I am Groot; I am Groot. I am Groot. I am Groot. I am Groot. I am Groot. I am Groot. I am Groot - I am Groot. I am Groot. I am Groot. I am Groot. I am *Groot*. I am Groot. I am Groot. I am Groot. I am Groot. I am Groot. I am Groot; I am Groot. I am Groot. I am Groot. I am Groot! I am Groot. I am Groot. I am Groot. I am Groot.. I am Groot. I am Groot. I am Groot

I am Groot. I am Groot. I am Groot. I am Groot. I am Groot. I am Groot - I am Groot. I am Groot. I am Groot. I am Groot. I am *Groot*. I am Groot. I am Groot..... I am Groot. I am Groot. I am Groot. I am Groot; I am Groot. I am Groot. I am Groot. I am Groot! I am Groot. I am Groot. I am Groot. I am Groot.. I am Groot. I am Groot. I am Groot....**I am Groot**. I am Groot. I am Groot. I am Groot; I am Groot. I am Groot. I am Groot. I am Groot. I am Groot. I am Groot. I am Groot - I am Groot. I am Groot. I am Groot. I am Groot. I am *Groot*. I am Groot. I am Groot. I am Groot. I am Groot. I am Groot. I am Groot; I am Groot. I am Groot. I am Groot. I am Groot! I am Groot. I am Groot. I am Groot. I am Groot.. I am Groot. I am Groot. I am Groot.

I am Groot. I am Groot. I am *Groot*. I am Groot. I am Groot. I am Groot. I am Groot. I am Groot. I am Groot; I am Groot. I am Groot. I am Groot. I am Groot! I am Groot. I am Groot. I am Groot. I am Groot. I am Groot. I am Groot. I am Groot. *I am Groot*. I am Groot. I am Groot. I am Groot! I am Groot. I am Groot. I am Groot. I am Groot. I am Groot. I am Groot. I am Groot. I am Groot. **I am Groot**. I am Groot. I am Groot. I am Groot; I am Groot. I am Groot. I am Groot. I am Groot. I am Groot. I am Groot - I am Groot. I am Groot..

I am Groot. I am Groot. I am Groot. I am Groot. I am Groot. *I am Groot*. I am Groot. I am Groot. I am Groot! I am Groot. I am Groot. I am Groot. I am Groot. I am

Groot. I am Groot. I am Groot. I am Groot. **I am Groot**. I am Groot. I am Groot. I am Groot; I am Groot. I am Groot. I am Groot. I am Groot. <u>I am Groot</u>. I am Groot. I am Groot - I am Groot. I am Groot.. I am Groot. I am Groot. I am *Groot*. I am Groot. I am Groot. I am Groot. I am Groot. I am Groot. I am Groot; I am Groot. I am Groot. I am Groot. I am Groot! I am Groot. I am Groot. I am Groot. I am Groot. I am Groot. I am Groot. I am Groot. *I am Groot*. I am Groot. I am Groot. I am Groot! I am Groot. I am Groot. I am Groot. I am Groot. I am Groot. I am Groot. I am Groot. I am Groot. **I am Groot**. I am Groot. I am Groot. I am Groot; I am Groot. I am Groot. I am Groot. I am Groot. <u>I am Groot</u>. I am Groot. I am Groot - I am Groot. I am Groot.. I am Groot. I am Groot. I am Groot. I am Groot. I am Groot. I am Groot. I am Groot. **I am Groot**. I am Groot. I am Groot. I am Groot; I am Groot. I am Groot. I am Groot. I am Groot. <u>I am Groot</u>. I am Groot. I am Groot - I am Groot. I am Groot..

I am Groot.

I am Groot

I am Groot. I am Groot. I am *Groot*. I am Groot. I am Groot. I am Groot. I am Groot. I am Groot. I am Groot; I am Groot. I am Groot. I am Groot. I am Groot! I am Groot. I am Groot. I am Groot. I am Groot.. I am Groot. I am Groot. I am Groot. *I am Groot*. I am Groot. I am Groot. I am Groot! I am Groot. I am Groot. I am Groot. I am Groot. I am Groot. I am Groot. I am Groot. I am Groot. **I am Groot**. I am Groot. I am Groot. I am Groot; I am Groot. I am Groot. I am Groot. I am Groot. <u>I am Groot</u>. I am Groot. I am Groot - I am Groot. I am Groot.

I am Groot. I am Groot. I am Groot. I am Groot. I am Groot. *I am Groot*. I am Groot. I am Groot. I am Groot! I am Groot. I am Groot. I am Groot. I am Groot. I am Groot. I am Groot. I am Groot. I am Groot. **I am Groot**. I am Groot. I am Groot. I am Groot; I am Groot. I am Groot. I am Groot. I am Groot. <u>I am Groot</u>. I am Groot. I am Groot - I am Groot. I am Groot.. I am Groot. I am Groot. I am *Groot*. I am Groot. I am Groot. I am Groot. I am Groot. I am Groot. I am Groot; I am Groot. I am Groot. I am Groot. I am Groot! I am Groot. I am Groot. I am Groot. I am Groot. I am Groot. I am Groot. I am Groot. *I am Groot*. I am Groot. I am Groot. I am Groot! I am Groot. I am Groot. I am Groot. I am Groot. I am Groot. I am Groot. I am Groot. I am Groot. **I am Groot**. I am Groot. I am Groot. I am Groot; I am Groot. I am Groot. I am Groot. I am Groot. <u>I am Groot</u>. I am Groot. I am Groot - I am Groot. I am Groot.. I am Groot. I am Groot. I am Groot. I am Groot. I am Groot. I am Groot. I am Groot. **I am Groot**. I am Groot. I am Groot. I am Groot; I am Groot. I am Groot. I am Groot. I am Groot. <u>I am Groot</u>. I am Groot. I am Groot - I am Groot. I am Groot. I am Groot.

I am Groot. I am Groot. I am *Groot*. I am Groot. I am Groot. I am Groot. I am Groot. I am Groot. I am Groot;

I am Groot. I am Groot. I am Groot. I am Groot! I am
Groot. I am Groot. I am Groot. I am Groot.. I am Groot. I
am Groot. I am Groot. *I am Groot*. I am Groot. I am Groot.
I am Groot! I am Groot. I am Groot. I am Groot. I am
Groot. I am Groot. I am Groot. I am Groot. I am Groot. **I
am Groot**. I am Groot. I am Groot. I am Groot; I am Groot.
I am Groot. I am Groot. I am Groot. I am Groot. I am
Groot. I am Groot - I am Groot. I am Groot.

I am Groot. I am Groot. I am *Groot*. I am Groot. I
am Groot. I am Groot. I am Groot. I am Groot. I am Groot;
I am Groot. I am Groot. I am Groot. I am Groot! I am
Groot. I am Groot. I am Groot. I am Groot.. I am Groot. I
am Groot. I am Groot. I am Groot. I am Groot. I am *Groot*.
I am Groot. I am Groot. I am Groot. I am Groot. I am
Groot. I am Groot; I am Groot. I am Groot. I am Groot. I
am Groot! I am Groot. I am Groot. I am Groot. I am Groot..
I am Groot. I am Groot. I am Groot. *I am Groot*. I am
Groot. I am Groot. I am Groot! I am Groot. I am Groot. I
am Groot. I am Groot. I am Groot. I am Groot. I am Groot.
I am Groot. I am Groot. I am Groot. I am Groot. I am
Groot; I am Groot. I am Groot. I am Groot. I am Groot. I
am Groot. I am Groot. I am Groot - I am Groot. I am Groot.

I am Groot. I am Groot. I am *Groot*. I am Groot. I
am Groot. I am Groot. I am Groot. I am Groot. I am Groot;
I am Groot. I am Groot. I am Groot. I am Groot! I am
Groot. I am Groot. I am Groot. I am Groot.. I am Groot. I
am Groot. I am Groot. *I am Groot*. I am Groot. I am Groot.
I am Groot! I am Groot. I am Groot. I am Groot. I am
Groot. I am Groot. I am Groot. I am Groot. I am Groot. **I
am Groot**. I am Groot. I am Groot. I am Groot; I am Groot.
I am Groot. I am Groot. I am Groot. I am Groot. I am
Groot. I am Groot - I am Groot. I am Groot. I am Groot. I
am Groot. I am *Groot*. I am Groot. I am Groot. I am Groot.
I am Groot. I am Groot. I am Groot; I am Groot. I am
Groot. I am Groot. I am Groot! I am Groot. I am Groot. I
am Groot. I am Groot.. I am Groot. I am Groot. I am Groot

I am Groot. I am Groot. I am *Groot*. I am Groot. I am Groot. I am Groot. I am Groot. I am Groot. I am Groot; I am Groot. I am Groot. I am Groot. I am Groot! I am Groot. I am Groot. I am Groot. I am Groot.. I am Groot. I am Groot. I am Groot. *I am Groot*. I am Groot. I am Groot. I am Groot! I am Groot. I am Groot. I am Groot. I am Groot. I am Groot. I am Groot. I am Groot. I am Groot. **I am Groot**. I am Groot. I am Groot. I am Groot; I am Groot. I am Groot. I am Groot. I am Groot. <u>I am Groot</u>. I am Groot! I am Groot - I am Groot. I am Groot. I am Groot. I am Groot. I am *Groot*.... I am Groot. I am Groot. I am Groot. I am Groot. I am Groot. I am Groot; I am Groot. I am Groot. I am Groot. I am Groot! I am Groot. I am Groot. I am Groot. I am Groot.. I am Groot. I am Groot. I am Groot

I am Groot. I am Groot. I am *Groot*. I am Groot. I am Groot. I am Groot. I am Groot. I am Groot. I am Groot. I am *Groot*. I am Groot. I am Groot. I am Groot. I am Groot. I am Groot. I am Groot; I am Groot. I am Groot. I am Groot. I am Groot! I am Groot. I am Groot. I am Groot. I am Groot.. I am Groot. I am Groot. I am Groot. *I am Groot*. I am Groot. I am Groot. I am Groot! I am Groot.... I am Groot. I am Groot. I am Groot. I am Groot. I am Groot. I am Groot. I am Groot. **I am Groot**. I am Groot. I am Groot. I am Groot; I am Groot. I am Groot. I am Groot. I am Groot. <u>I am Groot</u>. I am Groot. I am Groot - I am Groot. I am Groot. I am Groot. I am Groot. I am *Groot*. I am Groot. I am Groot. I am Groot. I am Groot. I am Groot. I am Groot; I am Groot. I am Groot. I am Groot. I am Groot! I am Groot. I am Groot. I am Groot. I am Groot.. I am Groot. I am Groot. I am Groot

I am Groot. I am Groot; I am Groot. I am Groot. I am Groot. I am Groot! I am Groot. I am Groot. I am Groot. I am Groot.. I am Groot. I am Groot. I am Groot. *I am Groot*. I am Groot. I am Groot. I am Groot! I am Groot. I am Groot. I am Groot. I am Groot. I am Groot. I am Groot.

I am Groot. I am Groot. **I am Groot**. I am Groot. I am Groot. I am Groot; I am Groot. I am Groot. I am Groot. I am Groot. <u>I am Groot</u>. I am Groot. I am Groot - I am Groot. I am Groot. I am Groot. I am Groot. I am *Groot*. I am Groot. I am Groot. I am Groot. I am Groot. I am Groot. I am Groot; I am Groot. I am Groot. I am Groot. I am Groot! I am Groot. I am Groot. I am Groot. I am Groot.. I am Groot. I am Groot. I am Groot. I am Groot. I am Groot. I am *Groot*. I am Groot. I am Groot. I am Groot. I am Groot. I am Groot…... I am Groot; I am Groot. I am Groot. I am Groot. I am Groot! I am Groot. I am Groot. I am Groot. I am Groot.. I am Groot. I am Groot. I am Groot. I am Groot. *I am Groot*. I am Groot. I am Groot. I am Groot! I am Groot. I am Groot. I am Groot. I am Groot. I am Groot. I am Groot. I am Groot. I am Groot. **I am Groot**. I am Groot. I am Groot. I am Groot; I am Groot. I am Groot. I am Groot. I am Groot. <u>I am Groot</u>. I am Groot. I am Groot - I am Groot. I am Groot. I am Groot. I am Groot. I am *Groot*. I am Groot. I am Groot. I am Groot. I am Groot. I am Groot. I am Groot; I am Groot. I am Groot. I am Groot. I am Groot! I am Groot. I am Groot. I am Groot. I am Groot.. I am Groot. I am Groot. I am Groot….**I am Groot**. I am Groot. I am Groot. I am Groot; I am Groot. I am Groot. I am Groot. I am Groot. <u>I am Groot</u>. I am Groot. I am Groot - I am Groot. I am Groot. I am Groot. I am Groot. I am *Groot*. I am Groot. I am Groot. I am Groot. I am Groot. I am Groot. I am Groot; I am Groot. I am Groot. I am Groot. I am Groot! I am Groot. I am Groot. I am Groot. I am Groot.. I am Groot. I am Groot. I am Groot. I am Groot

I am Groot. I am Groot. I am Groot. <u>I am Groot</u>. I am Groot. I am Groot - I am Groot. I am Groot. I am Groot. I am Groot. I am *Groot*. I am Groot. I am Groot….. I am Groot. I am Groot. I am Groot. I am Groot; I am Groot. I am Groot. I am Groot. I am Groot! I am Groot. I am Groot. I am Groot. I am Groot.. I am Groot. I am Groot. I am Groot….**I am Groot**. I am Groot. I am Groot. I am Groot; I

am Groot. I am Groot. I am Groot. I am Groot. <u>I am Groot</u>.
I am Groot. I am Groot - I am Groot. I am Groot. I am
Groot. I am Groot. I am *Groot*. I am Groot. I am Groot. I
am Groot. I am Groot. I am Groot. I am Groot; I am Groot.
I am Groot. I am Groot. I am Groot! I am Groot. I am
Groot. I am Groot. I am Groot.. I am Groot. I am Groot. I
am Groot.

I am Groot. I am Groot. I am *Groot*. I am Groot. I
am Groot. I am Groot. I am Groot. I am Groot. I am Groot;
I am Groot. I am Groot. I am Groot. I am Groot! I am
Groot. I am Groot. I am Groot. I am Groot. I am Groot. I
am Groot. I am Groot. *I am Groot*. I am Groot. I am Groot.
I am Groot! I am Groot. I am Groot. I am Groot. I am
Groot. I am Groot. I am Groot. I am Groot. I am Groot. **I
am Groot**. I am Groot. I am Groot. I am Groot; I am Groot.
I am Groot. I am Groot. I am Groot. <u>I am Groot</u>. I am
Groot. I am Groot - I am Groot. I am Groot..

I am Groot. I am Groot. I am Groot. I am Groot. I
am Groot. *I am Groot*. I am Groot. I am Groot. I am Groot!
I am Groot. I am Groot. I am Groot. I am Groot. I am
Groot. I am Groot. I am Groot. I am Groot. **I am Groot**. I
am Groot. I am Groot. I am Groot; I am Groot. I am Groot.
I am Groot. I am Groot. <u>I am Groot</u>. I am Groot. I am Groot
- I am Groot. I am Groot.. I am Groot. I am Groot. I am
Groot. I am Groot. I am Groot. I am Groot. I am Groot. I
am Groot. I am Groot; I am Groot. I am Groot. I am Groot.
I am Groot! I am Groot. I am Groot. I am Groot. I am
Groot. I am Groot. I am Groot. I am Groot. *I am Groot*. I
am Groot. I am Groot. I am Groot! I am Groot. I am Groot.
I am Groot. I am Groot. I am Groot. I am Groot. I am
Groot. I am Groot. **I am Groot**. I am Groot. I am Groot. I
am Groot; I am Groot. I am Groot. I am Groot. I am Groot.
<u>I am Groot</u>. I am Groot. I am Groot - I am Groot. I am
Groot.. I am Groot. I am Groot. I am Groot. I am Groot. I
am Groot. I am Groot. I am Groot. **I am Groot**. I am Groot.
I am Groot. I am Groot; I am Groot. I am Groot. I am

Groot. I am Groot. <u>I am Groot</u>. I am Groot. I am Groot - I am Groot. I am Groot..

I am Groot.

I am Groot. I am Groot. I am *Groot*. I am Groot. I am Groot. I am Groot. I am Groot. I am Groot. I am Groot; I am Groot. I am Groot. I am Groot. I am Groot! I am Groot. I am Groot. I am Groot. I am Groot.. I am Groot. I am Groot. I am Groot. *I am Groot*. I am Groot. I am Groot. I am Groot! I am Groot. I am Groot. I am Groot. I am Groot. I am Groot. I am Groot. I am Groot. I am Groot. **I am Groot**. I am Groot. I am Groot. I am Groot; I am Groot. I am Groot. I am Groot. I am Groot. <u>I am Groot</u>. I am Groot. I am Groot - I am Groot. I am Groot.
I am Groot. I am Groot. I am Groot. I am Groot. I am Groot. *I am Groot*. I am Groot. I am Groot. I am Groot! I am Groot. I am Groot. I am Groot. I am Groot. I am Groot. I am Groot. I am Groot. I am Groot. **I am Groot**. I am Groot. I am Groot. I am Groot; I am Groot. I am Groot. I am Groot. I am Groot. <u>I am Groot</u>. I am Groot. I am Groot - I am Groot. I am Groot.. I am Groot. I am Groot. I am *Groot*. I am Groot. I am Groot. I am Groot. I am Groot. I am Groot. I am Groot; I am Groot. I am Groot. I am Groot. I am Groot. I am Groot! I am Groot. I am Groot. I am Groot. I am Groot. I am Groot. I am Groot. I am Groot. *I am Groot*. I am Groot. I am Groot. I am Groot! I am Groot. I am Groot. I am Groot. I am Groot. I am Groot. I am Groot. I am Groot. I am Groot. **I am Groot**. I am Groot. I am Groot. I am Groot; I am Groot. I am Groot. I am Groot. I am Groot. <u>I am Groot</u>. I am Groot. I am Groot - I am Groot. I am Groot.. I am Groot. I am Groot. I am Groot. I am Groot. I am Groot. I am Groot. I am Groot. **I am Groot**. I am Groot. I am Groot. I am Groot; I am Groot. I am Groot. I am

Groot. I am Groot. <u>I am Groot</u>. I am Groot. I am Groot - I am Groot. I am Groot.

I am Groot. I am Groot. I am *Groot*. I am Groot. I am Groot. I am Groot. I am Groot. I am Groot. I am Groot; I am Groot. I am Groot. I am Groot. I am Groot! I am Groot. I am Groot. I am Groot. I am Groot.. I am Groot. I am Groot. I am Groot. *I am Groot*. I am Groot. I am Groot. I am Groot! I am Groot. I am Groot. I am Groot. I am Groot. I am Groot. I am Groot. I am Groot. I am Groot. **I am Groot**. I am Groot. I am Groot. I am Groot; I am Groot. I am Groot. I am Groot. I am Groot. <u>I am Groot</u>. I am Groot. I am Groot - I am Groot. I am Groot.

I am Groot. I am Groot. I am *Groot*. I am Groot. I am Groot. I am Groot. I am Groot. I am Groot. I am Groot; I am Groot. I am Groot. I am Groot. I am Groot! I am Groot. I am Groot. I am Groot. I am Groot.. I am Groot. I am Groot. I am Groot. I am Groot. I am Groot. I am *Groot*. I am Groot. I am Groot. I am Groot. I am Groot. I am Groot. I am Groot; I am Groot. I am Groot. I am Groot. I am Groot! I am Groot. I am Groot. I am Groot. I am Groot?.. I am Groot. I am Groot. I am Groot. *I am Groot*. I am Groot. I am Groot. I am Groot! I am Groot. I am Groot. I am Groot. I am Groot. I am Groot. I am Groot. I am Groot. I am Groot. I am Groot. I am Groot. I am Groot; I am Groot. I am Groot. I am Groot. I am Groot. <u>I am Groot</u>. I am Groot. I am Groot - I am Groot. I am Groot.

I am Groot. I am Groot. I am *Groot*. I am Groot. I am Groot. I am Groot. I am Groot. I am Groot. I am Groot; I am Groot. I am Groot. I am Groot. I am Groot! I am Groot. I am Groot. I am Groot. I am Groot.. I am Groot. I am Groot. I am Groot. *I am Groot*. I am Groot. I am Groot. I am Groot! I am Groot. I am Groot. I am Groot. I am Groot. I am Groot. I am Groot. I am Groot. I am Groot. **I am Groot**. I am Groot. I am Groot. I am Groot; I am Groot. I am Groot. I am Groot. I am Groot. <u>I am Groot</u>. I am

Groot. I am Groot - I am Groot. I am Groot. I am Groot. I am Groot. I am *Groot*. I am Groot. I am Groot. I am Groot. I am Groot. I am Groot. I am Groot; I am Groot. I am Groot. I am Groot. I am Groot! I am Groot. I am Groot. I am Groot. I am Groot.. I am Groot. I am Groot. I am Groot

I am Groot. I am Groot. I am *Groot*. I am Groot. I am Groot. I am Groot. I am Groot. I am Groot. I am Groot; I am

Groot. I am Groot. I am Groot. I am Groot! I am Groot. I am Groot. I am Groot. I am Groot.. I am Groot. I am Groot. I am Groot. *I am Groot*. I am Groot. I am Groot. I am Groot! I am Groot. I am Groot. I am Groot. I am Groot. I am Groot. I am Groot. I am Groot. I am Groot. **I am Groot**. I am Groot. I am Groot. I am Groot; I am Groot. I am Groot. I am Groot. I am Groot. <u>I am Groot</u>. I am Groot! I am Groot - I am Groot. I am Groot. I am Groot. I am Groot. I am *Groot*.... I am Groot. I am Groot. I am Groot. I am Groot. I am Groot. I am Groot; I am Groot. I am Groot. I am Groot. I am Groot! I am Groot. I am Groot. I am Groot. I am Groot.. I am Groot. I am Groot. I am Groot

I am Groot. I am Groot. I am *Groot*. I am Groot. I am Groot. I am Groot. I am Groot. I am Groot. I am Groot. I am *Groot*. I am Groot. I am Groot. I am Groot. I am Groot. I am Groot. I am Groot; I am Groot. I am Groot. I am Groot. I am Groot! I am Groot. I am Groot. I am Groot. I am Groot.. I am Groot. I am Groot. I am Groot. *I am Groot*. I am Groot. I am Groot. I am Groot! I am Groot.... I am Groot. I am Groot. I am Groot. I am Groot. I am Groot. I am Groot. I am Groot. **I am Groot**. I am Groot. I am Groot. I am Groot; I am Groot. I am Groot. I am Groot. I am Groot. <u>I am Groot</u>. I am Groot. I am Groot - I am Groot. I am Groot. I am Groot. I am Groot. I am *Groot*. I am Groot. I am Groot. I am Groot. I am Groot. I am Groot. I am Groot; I am Groot. I am Groot. I am Groot. I am Groot!

I am Groot. I am Groot. I am Groot. I am Groot.. I am
Groot. I am Groot. I am Groot

I am Groot. I am Groot; I am Groot. I am Groot. I
am Groot. I am Groot! I am Groot. I am Groot. I am Groot.
I am Groot.. I am Groot. I am Groot. I am Groot. *I am
Groot*. I am Groot. I am Groot. I am Groot! I am Groot. I
am Groot. I am Groot. I am Groot. I am Groot. I am Groot.
I am Groot. I am Groot. **I am Groot**. I am Groot. I am
Groot. I am Groot; I am Groot. I am Groot. I am Groot. I
am Groot. <u>I am Groot</u>. I am Groot. I am Groot - I am Groot.
I am Groot. I am Groot. I am Groot. I am *Groot*. I am
Groot. I am Groot. I am Groot. I am Groot. I am Groot. I
am Groot; I am Groot. I am Groot. I am Groot. I am Groot!
I am Groot. I am Groot. I am Groot. I am Groot.. I am
Groot. I am Groot. I am Groot. I am Groot. I am Groot. I
am *Groot*. I am Groot. I am Groot. I am Groot. I am Groot.
I am Groot?...... I am Groot; I am Groot. I am Groot. I am
Groot. I am Groot! I am Groot. I am Groot. I am Groot. I
am Groot.. I am Groot. I am Groot. I am Groot. *I am Groot*.
I am Groot. I am Groot. I am Groot! I am Groot. I am
Groot. I am Groot. I am Groot. I am Groot. I am Groot. I
am Groot. I am Groot. **I am Groot**. I am Groot. I am Groot.
I am Groot; I am Groot. I am Groot. I am Groot. I am
Groot. <u>I am Groot</u>. I am Groot. I am Groot - I am Groot. I
am Groot. I am Groot. I am Groot. I am *Groot*. I am Groot.
I am Groot. I am Groot. I am Groot. I am Groot. I am
Groot; I am Groot. I am Groot. I am Groot. I am Groot! I
am Groot. I am Groot. I am Groot. I am Groot.. I am Groot.
I am Groot. I am Groot....**I am Groot**. I am Groot. I am
Groot. I am Groot; I am Groot. I am Groot. I am Groot. I
am Groot. <u>I am Groot</u>. I am Groot. I am Groot - I am Groot.
I am Groot. I am Groot. I am Groot. I am *Groot*. I am
Groot. I am Groot. I am Groot. I am Groot. I am Groot. I
am Groot; I am Groot. I am Groot. I am Groot. I am Groot!
I am Groot. I am Groot. I am Groot. I am Groot.. I am
Groot. I am Groot. I am Groot

I am Groot. I am Groot. I am Groot. <u>I am Groot</u>. I am Groot. I am Groot - I am Groot. I am Groot. I am Groot. I am Groot. I am *Groot*. I am Groot. I am Groot….. I am Groot. I am Groot. I am Groot. I am Groot; I am Groot. I am Groot. I am Groot. I am Groot! I am Groot. I am Groot. I am Groot. I am Groot.. I am Groot. I am Groot. I am Groot….**I am Groot**. I am Groot. I am Groot. I am Groot; I am Groot. I am Groot. I am Groot. I am Groot. <u>I am Groot</u>. I am Groot. I am Groot - I am Groot. I am Groot. I am Groot. I am Groot. I am *Groot*. I am Groot. I am Groot. I am Groot. I am Groot. I am Groot. I am Groot; I am Groot. I am Groot. I am Groot. I am Groot! I am Groot. I am Groot. I am Groot. I am Groot.. I am Groot. I am Groot. I am Groot.

I am Groot. I am Groot. I am *Groot*. I am Groot. I am Groot. I am Groot. I am Groot. I am Groot. I am Groot; I am Groot. I am Groot. I am Groot. I am Groot! I am Groot. I am Groot. I am Groot. I am Groot. I am Groot. I am Groot. I am Groot. *I am Groot*. I am Groot. I am Groot. I am Groot! I am Groot. I am Groot. I am Groot. I am Groot. I am Groot. I am Groot. I am Groot. I am Groot. **I am Groot**. I am Groot. I am Groot. I am Groot; I am Groot. I am Groot. I am Groot. I am Groot. <u>I am Groot</u>. I am Groot. I am Groot - I am Groot. I am Groot..

I am Groot. I am Groot. I am Groot. I am Groot. I am Groot. *I am Groot*. I am Groot. I am Groot. I am Groot! I am Groot. I am Groot. I am Groot. I am Groot. I am Groot. I am Groot. I am Groot. I am Groot. **I am Groot**. I am Groot. I am Groot. I am Groot; I am Groot. I am Groot. I am Groot. I am Groot. <u>I am Groot</u>. I am Groot. I am Groot - I am Groot. I am Groot.. I am Groot. I am Groot. I am *Groot*. I am Groot. I am Groot. I am Groot. I am Groot. I am Groot. I am Groot; I am Groot. I am Groot. I am Groot. I am Groot! I am Groot. I am Groot. I am Groot. I am Groot. I am Groot. I am Groot. I am Groot. *I am Groot*. I am Groot. I am Groot. I am Groot! I am Groot. I am Groot.

I am Groot. I am Groot. I am Groot. I am Groot. I am Groot. I am Groot. **I am Groot.** I am Groot. I am Groot. I am Groot; I am Groot. I am Groot. I am Groot. I am Groot. <u>I am Groot</u>. I am Groot. I am Groot - I am Groot. I am Groot.. I am Groot. I am Groot. I am Groot. I am Groot. I am Groot. I am Groot. I am Groot. **I am Groot.** I am Groot. I am Groot. I am Groot; I am Groot. I am Groot. I am Groot. I am Groot. <u>I am Groot</u>. I am Groot. I am Groot - I am Groot. I am Groot..

I am Groot.

I am Groot. I am Groot. I am *Groot*. I am Groot. I am Groot. I am Groot. I am Groot. I am Groot. I am Groot; I am Groot. I am Groot. I am Groot. I am Groot! I am Groot. I am Groot. I am Groot. I am Groot.. I am Groot. I am Groot. I am Groot. *I am Groot*. I am Groot. I am Groot. I am Groot! I am Groot. I am Groot. I am Groot. I am Groot. I am Groot. I am Groot. I am Groot. I am Groot. **I am Groot**. I am Groot. I am Groot. I am Groot; I am Groot. I am Groot. I am Groot. I am Groot. <u>I am Groot</u>. I am Groot. I am Groot - I am Groot. I am Groot.

I am Groot. I am Groot. I am Groot. I am Groot. I am Groot. *I am Groot*. I am Groot. I am Groot. I am Groot! I am Groot. I am Groot. I am Groot. I am Groot. I am Groot. I am Groot. I am Groot. I am Groot. **I am Groot**. I am Groot. I am Groot. I am Groot; I am Groot. I am Groot. I am Groot. I am Groot. <u>I am Groot</u>. I am Groot. I am Groot - I am Groot. I am Groot.. I am Groot. I am Groot. I am *Groot*. I am Groot. I am Groot. I am Groot. I am Groot. I am Groot. I am Groot; I am Groot. I am Groot. I am Groot. I am Groot! I am Groot. I am Groot. I am Groot. I am Groot. I am Groot. I am Groot. I am Groot. *I am Groot*. I am Groot. I am Groot. I am Groot! I am Groot. I am Groot. I am Groot. I am Groot. I am Groot. I am Groot. I am Groot. I am

Groot. I am Groot. **I am Groot**. I am Groot. I am Groot. I am Groot; I am Groot. I am Groot. I am Groot. I am Groot. I am Groot. I am Groot. I am Groot - I am Groot. I am Groot.. I am Groot. I am Groot. I am Groot. I am Groot. I am Groot. I am Groot. I am Groot. **I am Groot**. I am Groot. I am Groot. I am Groot; I am Groot. I am Groot. I am Groot. I am Groot. I am Groot. I am Groot. I am Groot. I am Groot - I am Groot. I am Groot.

I am Groot. I am Groot. I am *Groot*. I am Groot. I am Groot. I am Groot. I am Groot. I am Groot. I am Groot; I am Groot. I am Groot. I am Groot. I am Groot! I am Groot. I am Groot. I am Groot. I am Groot.. I am Groot. I am Groot. I am Groot. *I am Groot*. I am Groot. I am Groot. I am Groot! I am Groot. I am Groot. I am Groot. I am Groot. I am Groot. I am Groot. I am Groot. I am Groot. **I am Groot**. I am Groot. I am Groot. I am Groot; I am Groot. I am Groot. I am Groot. I am Groot. I am Groot. I am Groot. I am Groot - I am Groot. I am Groot.

I am Groot. I am Groot. I am *Groot*. I am Groot. I am Groot. I am Groot. I am Groot. I am Groot. I am Groot; I am Groot. I am Groot. I am Groot. I am Groot! I am Groot. I am Groot. I am Groot. I am Groot.. I am Groot. I am Groot. I am Groot. I am Groot. I am Groot. I am *Groot*. I am Groot. I am Groot. I am Groot. I am Groot. I am Groot. I am Groot; I am Groot. I am Groot. I am Groot. I am Groot! I am Groot. I am Groot. I am Groot. I am Groot.. I am Groot. I am Groot. I am Groot. *I am Groot*. I am Groot. I am Groot. I am Groot! I am Groot. I am Groot. I am Groot. I am Groot. I am Groot. I am Groot. I am Groot. I am Groot. I am Groot. I am Groot. I am Groot; I am Groot. I am Groot. I am Groot. I am Groot. I am Groot. I am Groot. I am Groot. I am Groot - I am Groot. I am Groot.

I am Groot. I am Groot. I am *Groot*. I am Groot. I am Groot. I am Groot. I am Groot. I am Groot. I am Groot; I am Groot. I am Groot. I am Groot. I am Groot! I am Groot. I am Groot. I am Groot. I am Groot.. I am Groot. I am Groot. I am Groot. *I am Groot*. I am Groot. I am Groot. I am Groot! I am Groot. I am Groot. I am Groot. I am Groot. I am Groot. I am Groot. I am Groot. I am Groot. **I am Groot**. I am Groot. I am Groot. I am Groot; I am Groot. I am Groot. I am Groot. I am Groot. <u>I am Groot</u>. I am Groot. I am Groot - I am Groot. I am Groot. I am Groot. I am Groot. I am *Groot*. I am Groot. I am Groot. I am Groot. I am Groot. I am Groot. I am Groot; I am Groot. I am Groot. I am Groot. I am Groot! I am Groot. I am Groot. I am Groot. I am Groot.. I am Groot. I am Groot. I am Groot

    I am Groot. I am Groot. I am *Groot*. I am Groot. I am Groot. I am Groot. I am Groot. I am Groot. I am Groot; I am Groot. I am Groot. I am Groot. I am Groot! I am Groot. I am Groot. I am Groot. I am Groot.. I am Groot. I am Groot. I am Groot. *I am Groot*. I am Groot. I am Groot. I am Groot! I am Groot. I am Groot. I am Groot. I am Groot. I am Groot. I am Groot. I am Groot. I am Groot. I am Groot. **I am Groot**. I am Groot. I am Groot. I am Groot; I am Groot. I am Groot. I am Groot. I am Groot. <u>I am Groot</u>. I am Groot! I am Groot - I am Groot. I am Groot. I am Groot. I am Groot. I am *Groot*…. I am

I am Groot

I am Groot. I am Groot. I am Groot. I am Groot. I am Groot. I am Groot; I am Groot. I am Groot. I am Groot. I am Groot! I am Groot. I am Groot. I am Groot. I am Groot.. I am Groot. I am Groot. I am Groot

I am Groot. I am Groot. I am *Groot*. I am Groot. I am Groot. I am Groot. I am Groot. I am Groot. I am Groot. I am *Groot*. I am Groot. I am Groot. I am Groot. I am Groot. I am Groot. I am Groot; I am Groot. I am Groot. I am Groot. I am Groot! I am Groot. I am Groot. I am Groot. I am Groot.. I am Groot. I am Groot. I am Groot. *I am Groot*. I am Groot. I am Groot. I am Groot! I am Groot.... I am Groot. I am Groot. I am Groot. I am Groot. I am Groot. I am Groot. I am Groot. **I am Groot**. I am Groot. I am Groot. I am Groot; I am Groot. I am Groot. I am Groot. I am Groot. <u>I am Groot</u>. I am Groot. I am Groot - I am Groot. I am Groot. I am Groot. I am Groot. I am *Groot*. I am Groot. I am Groot. I am Groot. I am Groot. I am Groot. I am Groot; I am Groot. I am Groot. I am Groot. I am Groot! I am Groot. I am Groot. I am Groot. I am Groot.. I am Groot. I am Groot. I am Groot

I am Groot. I am Groot; I am Groot. I am Groot. I am Groot. I am Groot! I am Groot. I am Groot. I am Groot. I am Groot.. I am Groot. I am Groot. I am Groot. *I am Groot*. I am Groot. I am Groot. I am Groot! I am Groot. I am Groot. I am Groot. I am Groot. I am Groot. I am Groot. I am Groot. I am Groot. **I am Groot**. I am Groot. I am Groot. I am Groot; I am Groot. I am Groot. I am Groot. I am Groot. <u>I am Groot</u>. I am Groot. I am Groot - I am Groot. I am Groot. I am Groot. I am Groot. I am *Groot*. I am Groot. I am Groot. I am Groot. I am Groot. I am Groot. I am Groot; I am Groot. I am Groot. I am Groot. I am Groot! I am Groot. I am Groot. I am Groot. I am Groot.. I am Groot. I am Groot. I am Groot. I am Groot. I am Groot. I am *Groot*. I am Groot. I am Groot. I am Groot. I am Groot. I am Groot…... I am Groot; I am Groot. I am Groot. I am Groot. I am Groot! I am Groot. I am Groot. I am Groot. I am Groot.. I am Groot. I am Groot. I am Groot. *I am Groot*. I am Groot. I am Groot. I am Groot! I am Groot. I am Groot. I am Groot. I am Groot. I am Groot. I am Groot. I am Groot. **I am Groot**. I am Groot. I am Groot. I am Groot; I am Groot. I am Groot. I am Groot. I am Groot. <u>I am Groot</u>. I am Groot. I am Groot - I am Groot. I am Groot. I am Groot. I am Groot. I am *Groot*. I am Groot. I am Groot. I am Groot. I am Groot. I am Groot. I am Groot; I am Groot. I am Groot. I am Groot. I am Groot! I am Groot. I am Groot. I am Groot. I am Groot.. I am Groot. I am Groot. I am Groot.....**I am Groot**. I am Groot. I am Groot. I am Groot; I am Groot. I am Groot. I am Groot. <u>I am Groot</u>. I am Groot. I am Groot - I am Groot. I am Groot. I am Groot. I am Groot. I am *Groot*. I am Groot. I am Groot. I am Groot. I am Groot. I am Groot. I am Groot; I am Groot. I am Groot. I am Groot. I am Groot! I am Groot. I am Groot. I am Groot. I am Groot.. I am Groot. I am Groot. I am Groot

I am Groot. I am Groot. I am Groot. <u>I am Groot</u>. I am Groot. I am Groot - I am Groot. I am Groot. I am Groot. I am Groot. I am *Groot*. I am Groot. I am Groot….. I am Groot. I am Groot. I am Groot. I am Groot; I am Groot. I am Groot. I am Groot. I am Groot! I am Groot. I am Groot. I am Groot. I am Groot.. I am Groot. I am Groot. I am Groot....**I am Groot**. I am Groot. I am Groot. I am Groot; I am Groot. I am Groot. I am Groot. I am Groot. <u>I am Groot</u>. I am Groot. I am Groot - I am Groot. I am Groot. I am Groot. I am Groot. I am *Groot*. I am Groot. I am Groot. I am Groot. I am Groot. I am Groot. I am Groot; I am Groot. I am Groot. I am Groot. I am Groot! I am Groot. I am Groot. I am Groot. I am Groot.. I am Groot. I am Groot. I am Groot.

I am Groot. I am Groot. I am *Groot*. I am Groot. I am Groot. I am Groot. I am Groot. I am Groot. I am Groot; I am Groot. I am Groot. I am Groot. I am Groot! I am Groot. I am Groot. I am Groot. I am Groot. I am Groot. I am Groot. I am Groot. *I am Groot*. I am Groot. I am Groot. I am Groot! I am Groot. I am Groot. I am Groot. I am Groot. I am Groot. I am Groot. I am Groot. I am Groot. **I am Groot**. I am Groot. I am Groot. I am Groot; I am Groot. I am Groot. I am Groot. I am Groot. <u>I am Groot</u>. I am Groot. I am Groot - I am Groot. I am Groot..

I am Groot. I am Groot. I am Groot. I am Groot. I am Groot. *I am Groot*. I am Groot. I am Groot. I am Groot! I am Groot. I am Groot. I am Groot. I am Groot. I am Groot. I am Groot. I am Groot. I am Groot. **I am Groot**. I am Groot. I am Groot. I am Groot; I am Groot. I am Groot. I am Groot. I am Groot. <u>I am Groot</u>. I am Groot. I am Groot - I am Groot. I am Groot.. I am Groot. I am Groot. I am *Groot*. I am Groot. I am Groot. I am Groot. I am Groot. I am Groot. I am Groot; I am Groot. I am Groot. I am Groot. I am Groot! I am Groot. I am Groot. I am Groot. I am Groot. I am Groot. I am Groot. I am Groot. *I am Groot*. I am Groot. I am Groot. I am Groot! I am Groot. I am Groot. I am Groot. I am Groot. I am Groot. I am Groot. I am Groot. I am Groot. **I am Groot**. I am Groot. I am Groot. I am Groot; I am Groot. I am Groot. I am Groot. I am Groot. <u>I am Groot</u>. I am Groot. I am Groot - I am Groot. I am Groot.. I am Groot. I am Groot. I am Groot. I am Groot. I am Groot. I am Groot. I am Groot. **I am Groot**. I am Groot. I am Groot. I am Groot; I am Groot. I am Groot. I am Groot. I am Groot. <u>I am Groot</u>. I am Groot. I am Groot - I am Groot. I am Groot..

I am Groot.

I am Groot. I am Groot. I am *Groot*. I am Groot. I am Groot. I am Groot. I am Groot. I am Groot. I am Groot; I am Groot. I am Groot. I am Groot. I am Groot! I am Groot. I am Groot. I am Groot. I am Groot.. I am Groot. I am Groot. I am Groot. *I am Groot*. I am Groot. I am Groot. I am Groot! I am Groot. I am Groot. I am Groot. I am Groot. I am Groot. I am Groot. I am Groot. I am Groot. **I am Groot**. I am Groot. I am Groot. I am Groot; I am Groot. I am Groot. I am Groot. I am Groot. <u>I am Groot</u>. I am Groot. I am Groot - I am Groot. I am Groot.

I am Groot. I am Groot. I am Groot. I am Groot. I am Groot. *I am Groot*. I am Groot. I am Groot. I am Groot! I am Groot. I am Groot. I am Groot. I am Groot. I am Groot. I am Groot. I am Groot. I am Groot. **I am Groot**. I am Groot. I am Groot. I am Groot; I am Groot. I am Groot. I am Groot. I am Groot. <u>I am Groot</u>. I am Groot. I am Groot - I am Groot. I am Groot.. I am Groot. I am Groot. I am *Groot*. I am Groot. I am Groot. I am Groot. I am Groot. I am Groot. I am Groot; I am Groot. I am Groot. I am Groot. I am Groot! I am Groot. I am Groot. I am Groot. I am Groot. I am Groot. I am Groot. I am Groot. *I am Groot*. I am Groot. I am Groot. I am Groot! I am Groot. I am Groot. I am Groot. I am Groot. I am Groot. I am Groot. I am Groot. I am Groot. **I am Groot**. I am Groot. I am Groot. I am Groot; I am Groot. I am Groot. I am Groot. I am Groot. <u>I am Groot</u>. I am Groot. I am Groot - I am Groot. I am Groot.. I am Groot. I am Groot. I am Groot. I am Groot. I am Groot. I am Groot. I am Groot. **I am Groot**. I am Groot. I am Groot. I am Groot; I am Groot. I am Groot. I am Groot. I am Groot. <u>I am Groot</u>. I am Groot. I am Groot - I am Groot. I am Groot.

I am Groot. I am Groot. I am *Groot*. I am Groot. I am Groot. I am Groot. I am Groot. I am Groot. I am Groot; I am Groot. I am Groot. I am Groot. I am Groot! I am Groot. I am Groot. I am Groot. I am Groot.. I am Groot. I am Groot. I am Groot. *I am Groot*. I am Groot. I am Groot.

- 55 -

I am Groot! I am Groot. I am Groot. I am Groot. I am Groot. I am Groot. I am Groot. I am Groot. I am Groot. **I am Groot**. I am Groot. I am Groot. I am Groot; I am Groot. I am Groot. I am Groot. I am Groot. I am Groot. I am Groot. I am Groot - I am Groot. I am Groot.

I am Groot. I am Groot. I am *Groot*. I am Groot. I am Groot. I am Groot. I am Groot. I am Groot. I am Groot; I am Groot. I am Groot. I am Groot. I am Groot! I am Groot. I am Groot. I am Groot. I am Groot.. I am Groot. I am Groot. I am Groot. I am Groot. I am Groot. I am *Groot*. I am Groot. I am Groot. I am Groot. I am Groot. I am Groot. I am Groot; I am Groot. I am Groot. I am Groot. I am Groot! I am Groot. I am Groot. I am Groot. I am Groot.. I am Groot. I am Groot. I am Groot. *I am Groot*. I am Groot. I am Groot. I am Groot! I am Groot. I am Groot. I am Groot. I am Groot. I am Groot. I am Groot. I am Groot. I am Groot. I am Groot. I am Groot. I am Groot. I am Groot; I am Groot. I am Groot. I am Groot. I am Groot. I am Groot. I am Groot. I am Groot - I am Groot. I am Groot.

I am Groot. I am Groot. I am *Groot*. I am Groot. I am Groot. I am Groot. I am Groot. I am Groot. I am Groot; I am Groot. I am Groot. I am Groot. I am Groot! I am Groot. I am Groot. I am Groot. I am Groot.. I am Groot. I am Groot. I am Groot. *I am Groot*. I am Groot. I am Groot. I am Groot. I am Groot! I am Groot. I am Groot. I am Groot. I am Groot. I am Groot. I am Groot. I am Groot. I am Groot. I am Groot. **I am Groot**. I am Groot. I am Groot. I am Groot; I am Groot. I am Groot. I am Groot. I am Groot. I am Groot. I am Groot - I am Groot. I am Groot. I am Groot. I am Groot. I am *Groot*. I am Groot. I am Groot. I am Groot. I am Groot. I am Groot. I am Groot; I am Groot. I am Groot. I am Groot! I am Groot. I am Groot. I am Groot. I am Groot.. I am Groot. I am Groot. I am Groot

I am Groot. I am Groot. I am *Groot*. I am Groot. I am Groot. I am Groot. I am Groot. I am Groot. I am Groot; I am Groot. I am Groot. I am Groot. I am Groot! I am

Groot. I am Groot. I am Groot. I am Groot.. I am Groot. I am Groot. I am Groot. *I am Groot*. I am Groot. I am Groot. I am Groot! I am Groot. I am Groot. I am Groot. I am Groot. I am Groot. I am Groot. I am Groot. I am Groot. **I am Groot**. I am Groot. I am Groot. I am Groot; I am Groot. I am Groot. I am Groot. I am Groot. I am Groot. I am Groot! I am Groot - I am Groot. I am Groot. I am Groot. I am Groot. I am *Groot*.... I am Groot. I am Groot. I am Groot. I am Groot. I am Groot. I am Groot; I am Groot. I am Groot. I am Groot. I am Groot. I am Groot! I am Groot. I am Groot. I am Groot. I am Groot.. I am Groot. I am Groot. I am Groot

I am Groot. I am Groot. I am *Groot*. I am Groot. I am Groot. I am Groot. I am Groot. I am Groot. I am Groot. I am *Groot*. I am Groot. I am Groot. I am Groot. I am Groot. I am Groot. I am Groot; I am Groot. I am Groot. I am Groot. I am Groot! I am Groot. I am Groot. I am Groot. I am Groot.. I am Groot. I am Groot. I am Groot. *I am Groot*. I am Groot. I am Groot. I am Groot! I am Groot.... I am Groot. I am Groot. I am Groot. I am Groot. I am Groot. I am Groot. I am Groot. **I am Groot**. I am Groot. I am Groot. I am Groot; I am Groot. I am Groot. I am Groot. I am Groot. <u>I am Groot</u>. I am Groot. I am Groot - I am Groot. I am Groot. I am Groot. I am Groot. I am *Groot*. I am Groot. I am Groot. I am Groot. I am Groot. I am Groot. I am Groot; I am Groot. I am Groot. I am Groot. I am Groot! I am Groot. I am Groot. I am Groot. I am Groot.. I am Groot. I am Groot. I am Groot

I am Groot. I am Groot; I am Groot. I am Groot. I am Groot. I am Groot! I am Groot. I am Groot. I am Groot. I am Groot.. I am Groot. I am Groot. I am Groot. *I am Groot*. I am Groot. I am Groot. I am Groot! I am Groot. I am Groot. I am Groot. I am Groot. I am Groot. I am Groot. I am Groot. I am Groot. **I am Groot**. I am Groot. I am Groot. I am Groot; I am Groot. I am Groot. I am Groot. I am Groot. <u>I am Groot</u>. I am Groot. I am Groot - I am Groot.

I am Groot. I am Groot. I am Groot. I am *Groot*. I am Groot. I am Groot. I am Groot. I am Groot. I am Groot. I am Groot; I am Groot. I am Groot. I am Groot. I am Groot! I am Groot. I am Groot. I am Groot. I am Groot.. I am Groot. I am Groot. I am Groot. I am Groot. I am Groot. I am *Groot*. I am Groot. I am Groot. I am Groot. I am Groot. I am Groot. I am Groot…... I am Groot; I am Groot. I am Groot. I am Groot. I am Groot! I am Groot. I am Groot. I am Groot. I am Groot.. I am Groot. I am Groot. I am Groot. *I am Groot*. I am Groot. I am Groot. I am Groot! I am Groot. I am Groot. I am Groot. I am Groot. I am Groot. I am Groot. I am Groot. I am Groot. **I am Groot**. I am Groot. I am Groot. I am Groot; I am Groot. I am Groot. I am Groot. I am Groot. <u>I am Groot</u>. I am Groot. I am Groot - I am Groot. I am Groot. I am Groot. I am Groot. I am *Groot*. I am Groot. I am Groot. I am Groot. I am Groot. I am Groot. I am Groot; I am Groot. I am Groot. I am Groot. I am Groot! I am Groot. I am Groot. I am Groot. I am Groot.. I am Groot. I am Groot. I am Groot….**I am Groot**. I am Groot. I am Groot. I am Groot; I am Groot. I am Groot. I am Groot. I am Groot. <u>I am Groot</u>. I am Groot. I am Groot - I am Groot. I am Groot. I am Groot. I am Groot. I am *Groot*. I am Groot. I am Groot. I am Groot. I am Groot. I am Groot. I am Groot; I am Groot. I am Groot. I am Groot. I am Groot! I am Groot. I am Groot. I am Groot. I am Groot.. I am Groot. I am Groot. I am Groot

I am Groot. I am Groot. I am Groot. <u>I am Groot</u>. I am Groot. I am Groot - I am Groot. I am Groot. I am Groot. I am Groot. I am *Groot*. I am Groot. I am Groot….. I am Groot. I am Groot. I am Groot. I am Groot; I am Groot. I am Groot. I am Groot. I am Groot! I am Groot. I am Groot. I am Groot. I am Groot.. I am Groot. I am Groot. I am Groot….**I am Groot**. I am Groot. I am Groot. I am Groot; I am Groot. I am Groot. I am Groot. I am Groot. <u>I am Groot</u>. I am Groot. I am Groot - I am Groot. I am Groot. I am Groot. I am Groot. I am *Groot*. I am Groot. I am Groot. I am Groot. I am Groot. I am Groot. I am Groot; I am Groot. I am Groot. I am Groot. I am Groot! I am Groot. I am Groot. I am Groot. I am Groot.. I am Groot. I am Groot. I am Groot.

I am Groot. I am Groot. I am *Groot*. I am Groot. I am Groot. I am Groot. I am Groot. I am Groot. I am Groot; I am Groot. I am Groot. I am Groot. I am Groot! I am Groot. I am Groot. I am Groot. I am Groot. I am Groot. I am Groot. I am Groot. *I am Groot*. I am Groot. I am Groot. I am Groot! I am Groot. I am Groot. I am Groot. I am Groot. I am Groot. I am Groot. I am Groot. I am Groot. **I am Groot**. I am Groot. I am Groot. I am Groot; I am Groot. I am Groot. I am Groot. I am Groot. <u>I am Groot</u>. I am Groot. I am Groot - I am Groot. I am Groot..

I am Groot. I am Groot. I am Groot. I am Groot. I am Groot. *I am Groot*. I am Groot. I am Groot. I am Groot! I am Groot. I am Groot. I am Groot. I am Groot. I am Groot. I am Groot. I am Groot. I am Groot. **I am Groot**. I am Groot. I am Groot. I am Groot; I am Groot. I am Groot. I am Groot. I am Groot. <u>I am Groot</u>. I am Groot. I am Groot - I am Groot. I am Groot.. I am Groot. I am Groot. I am *Groot*. I am Groot. I am Groot. I am Groot. I am Groot. I am Groot. I am Groot; I am Groot. I am Groot. I am Groot. I am Groot! I am Groot. I am Groot. I am Groot. I am Groot. I am Groot. I am Groot. I am Groot. *I am Groot*. I am Groot. I am Groot. I am Groot! I am Groot. I am Groot. I am Groot. I am Groot. I am Groot. I am Groot. I am Groot. I am Groot. **I am Groot**. I am Groot. I am Groot. I am Groot; I am Groot. I am Groot. I am Groot. I am Groot. <u>I am Groot</u>. I am Groot. I am Groot - I am Groot. I am Groot.. I am Groot. I am Groot. I am Groot. I am Groot. I am Groot. I am Groot. I am Groot. **I am Groot**. I am Groot. I am Groot. I am Groot; I am Groot. I am Groot. I am Groot. I am Groot. <u>I am Groot</u>. I am Groot. I am Groot - I am Groot. I am Groot..

I am Groot.

I am Groot. I am Groot. I am *Groot*. I am Groot. I am Groot. I am Groot. I am Groot. I am Groot. I am Groot; I am Groot. I am Groot. I am Groot. I am Groot! I am Groot. I am Groot. I am Groot. I am Groot.. I am Groot. I am Groot. I am Groot. *I am Groot*. I am Groot. I am Groot. I am Groot! I am Groot. I am Groot. I am Groot. I am Groot. I am Groot. I am Groot. I am Groot. I am Groot. **I am Groot**. I am Groot. I am Groot. I am Groot; I am Groot. I am Groot. I am Groot. I am Groot. <u>I am Groot</u>. I am Groot. I am Groot - I am Groot. I am Groot.

I am Groot. I am Groot. I am Groot. I am Groot. I am Groot. *I am Groot*. I am Groot. I am Groot. I am Groot! I am Groot. I am Groot. I am Groot. I am Groot. I am Groot. I am Groot. I am Groot. I am Groot. **I am Groot**. I am Groot. I am Groot. I am Groot; I am Groot. I am Groot. I am Groot. I am Groot. <u>I am Groot</u>. I am Groot. I am Groot - I am Groot. I am Groot.. I am Groot. I am Groot. I am *Groot*. I am Groot. I am Groot. I am Groot. I am Groot. I am Groot. I am Groot. I am Groot; I am Groot. I am Groot. I am Groot. I am Groot! I am Groot. I am Groot. I am Groot. I am Groot. I am Groot. I am Groot. I am Groot. *I am Groot*. I am Groot. I am Groot. I am Groot! I am Groot. I am Groot. I am Groot. I am Groot. I am Groot. I am Groot. I am Groot. I am Groot. **I am Groot**. I am Groot. I am Groot. I am Groot; I am Groot. I am Groot. I am Groot. I am Groot. <u>I am Groot</u>. I am Groot. I am Groot - I am Groot. I am Groot. I am Groot.. I am Groot. I am Groot. I am Groot. I am Groot. I am Groot. I am Groot. **I am Groot**. I am Groot. I am Groot. I am Groot; I am Groot. I am Groot. I am Groot. I am Groot. <u>I am Groot</u>. I am Groot. I am Groot - I am Groot. I am Groot.

I am Groot. I am Groot. I am *Groot*. I am Groot. I am Groot. I am Groot. I am Groot. I am Groot. I am Groot;

I am Groot. I am Groot. I am Groot. I am Groot! I am Groot. I am Groot. I am Groot. I am Groot.. I am Groot. I am Groot. I am Groot. *I am Groot*. I am Groot. I am Groot. I am Groot! I am Groot. I am Groot. I am Groot. I am Groot. I am Groot. I am Groot. I am Groot. I am Groot. **I am Groot**. I am Groot. I am Groot. I am Groot; I am Groot. I am Groot. I am Groot. I am Groot. <u>I am Groot</u>. I am Groot. I am Groot - I am Groot. I am Groot.

I am Groot. I am Groot. I am *Groot*. I am Groot. I am Groot. I am Groot. I am Groot. I am Groot. I am Groot; I am Groot. I am Groot. I am Groot. I am Groot! I am Groot. I am Groot. I am Groot. I am Groot.. I am Groot. I am Groot. I am Groot. I am Groot. I am Groot. I am *Groot*. I am Groot. I am Groot. I am Groot. I am Groot. I am Groot. I am Groot; I am Groot. I am Groot. I am Groot. I am Groot. I am Groot! I am Groot. I am Groot. I am Groot. I am Groot.. I am Groot. I am Groot. I am Groot. *I am Groot*. I am Groot. I am Groot. I am Groot. I am Groot! I am Groot. I am Groot. I am Groot. I am Groot. I am Groot. I am Groot. I am Groot. I am Groot. I am Groot. I am Groot. I am Groot. I am Groot; I am Groot. I am Groot. I am Groot. I am Groot. I am Groot. <u>I</u> <u>am Groot</u>. I am Groot. I am Groot - I am Groot. I am Groot.

I am Groot. I am Groot. I am *Groot*. I am Groot. I am Groot. I am Groot. I am Groot. I am Groot. I am Groot; I am Groot. I am Groot. I am Groot. I am Groot! I am Groot. I am Groot. I am Groot. I am Groot.. I am Groot. I am Groot. I am Groot. *I am Groot*. I am Groot. I am Groot. I am Groot! I am Groot. I am Groot. I am Groot. I am Groot. I am Groot. I am Groot. I am Groot. I am Groot. **I am Groot**. I am Groot. I am Groot. I am Groot; I am Groot. I am Groot. I am Groot. I am Groot. <u>I am Groot</u>. I am Groot. I am Groot - I am Groot. I am Groot. I am Groot. I am Groot. I am *Groot*. I am Groot. I am Groot. I am Groot. I am Groot. I am Groot. I am Groot; I am Groot. I am Groot. I am Groot! I am Groot. I am Groot. I am Groot. I am Groot.. I am Groot. I am Groot. I am Groot

I am Groot. I am Groot. I am *Groot*. I am Groot. I am Groot. I am Groot. I am Groot. I am Groot. I am Groot; I am Groot. I am Groot. I am Groot. I am Groot! I am Groot. I am Groot. I am Groot. I am Groot.. I am Groot. I am Groot. I am Groot. *I am Groot*. I am Groot. I am Groot. I am Groot! I am Groot. I am Groot. I am Groot. I am Groot. I am Groot. I am Groot. I am Groot. I am Groot. **I am Groot**. I am Groot. I am Groot. I am Groot; I am Groot. I am Groot. I am Groot. I am Groot. <u>I am Groot</u>. I am Groot! I am Groot - I am Groot. I am Groot. I am Groot. I am Groot. I am *Groot*.... I am Groot. I am Groot. I am Groot. I am Groot. I am Groot. I am Groot; I am Groot. I am Groot. I am Groot. I am Groot! I am Groot. I am Groot. I am Groot. I am Groot.. I am Groot. I am Groot. I am Groot

I am Groot. I am Groot. I am *Groot*. I am Groot. I am Groot. I am Groot. I am Groot. I am Groot. I am Groot. I am *Groot*. I am Groot. I am Groot. I am Groot. I am Groot. I am Groot. I am Groot. I am Groot; I am Groot. I am Groot. I am Groot. I am Groot! I am Groot. I am Groot. I am Groot. I am Groot.. I am Groot. I am Groot. I am Groot. *I am Groot*. I am Groot. I am Groot. I am Groot! I am Groot.... I am Groot. I am Groot. I am Groot. I am Groot. I am Groot. I am Groot. I am Groot. **I am Groot**. I am Groot. I am Groot. I am Groot; I am Groot. I am Groot. I am Groot. I am Groot. <u>I am Groot</u>. I am Groot. I am Groot - I am Groot. I am Groot. I am Groot. I am Groot. I am *Groot*. I am Groot. I am Groot. I am Groot. I am Groot. I am Groot. I am Groot; I am Groot. I am Groot. I am Groot. I am Groot! I am Groot. I am Groot. I am Groot. I am Groot.. I am Groot. I am Groot. I am Groot. I am Groot

I am Groot. I am Groot; I am Groot. I am Groot. I am Groot. I am Groot! I am Groot. I am Groot. I am Groot. I am Groot.. I am Groot. I am Groot. I am Groot. I am Groot. *I am Groot*. I am Groot. I am Groot. I am Groot! I am Groot. I am Groot. I am Groot. I am Groot. I am Groot. I am Groot.

I am Groot. I am Groot. **I am Groot**. I am Groot. I am Groot. I am Groot; I am Groot. I am Groot. I am Groot. I am Groot. <u>I am Groot</u>. I am Groot. I am Groot - I am Groot. I am Groot. I am Groot. I am Groot. I am *Groot*. I am Groot. I am Groot. I am Groot. I am Groot. I am Groot. I am Groot; I am Groot. I am Groot. I am Groot. I am Groot! I am Groot. I am Groot. I am Groot. I am Groot.. I am Groot. I am Groot. I am Groot. I am Groot. I am Groot. I am *Groot*. I am Groot. I am Groot. I am Groot. I am Groot. I am Groot…... I am Groot; I am Groot. I am Groot. I am Groot. I am Groot! I am Groot. I am Groot. I am Groot. I am Groot.. I am Groot. I am Groot. I am Groot. *I am Groot*. I am Groot. I am Groot. I am Groot! I am Groot. I am Groot. I am Groot. I am Groot. I am Groot. I am Groot. I am Groot. I am Groot. **I am Groot**. I am Groot. I am Groot. I am Groot; I am Groot. I am Groot. I am Groot. I am Groot. <u>I am Groot</u>. I am Groot. I am Groot - I am Groot. I am Groot. I am Groot. I am Groot. I am *Groot*. I am Groot. I am Groot. I am Groot. I am Groot. I am Groot. I am Groot; I am Groot. I am Groot. I am Groot. I am Groot! I am Groot. I am Groot. I am Groot. I am Groot.. I am Groot. I am Groot. I am Groot….**I am Groot**. I am Groot. I am Groot. I am Groot; I am Groot. I am Groot. I am Groot. I am Groot. <u>I am Groot</u>. I am Groot. I am Groot - I am Groot. I am Groot. I am Groot. I am Groot. I am *Groot*. I am Groot. I am Groot. I am Groot. I am Groot. I am Groot. I am Groot; I am Groot. I am Groot. I am Groot. I am Groot! I am Groot. I am Groot. I am Groot. I am Groot.. I am Groot. I am Groot. I am Groot

I am Groot. I am Groot. I am Groot. <u>I am Groot</u>. I am Groot. I am Groot - I am Groot. I am Groot. I am Groot. I am Groot. I am *Groot*. I am Groot. I am Groot….. I am Groot. I am Groot. I am Groot. I am Groot; I am Groot. I am Groot. I am Groot. I am Groot! I am Groot. I am Groot. I am Groot. I am Groot.. I am Groot. I am Groot. I am Groot….**I am Groot**. I am Groot. I am Groot. I am Groot; I

am Groot. I am Groot. I am Groot. I am Groot. <u>I am Groot</u>. I am Groot. I am Groot - I am Groot. I am Groot. I am Groot. I am *Groot*. I am Groot. I am Groot. I am Groot. I am Groot. I am Groot. I am Groot; I am Groot. I am Groot. I am Groot. I am Groot! I am Groot. I am Groot. I am Groot. I am Groot.. I am Groot. I am Groot. I am Groot.

  I am Groot. I am Groot. I am *Groot*. I am Groot. I am Groot. I am Groot. I am Groot. I am Groot. I am Groot; I am Groot. I am Groot. I am Groot. I am Groot! I am Groot. I am Groot. I am Groot. I am Groot. I am Groot. I am Groot. I am Groot. *I am Groot*. I am Groot. I am Groot. I am Groot! I am Groot. I am Groot. I am Groot. I am Groot. I am Groot. I am Groot. I am Groot. I am Groot. **I am Groot**. I am Groot. I am Groot. I am Groot; I am Groot. I am Groot. I am Groot. I am Groot. <u>I am Groot</u>. I am Groot. I am Groot - I am Groot. I am Groot..

  I am Groot. I am Groot. I am Groot. I am Groot. I am Groot. *I am Groot*. I am Groot. I am Groot. I am Groot! I am Groot. I am Groot. I am Groot. I am Groot. I am Groot. I am Groot. I am Groot. I am Groot. **I am Groot**. I am Groot. I am Groot. I am Groot; I am Groot. I am Groot. I am Groot. I am Groot. <u>I am Groot</u>. I am Groot. I am Groot - I am Groot. I am Groot.. I am Groot. I am Groot. I am *Groot*. I am Groot. I am Groot. I am Groot. I am Groot. I am Groot. I am Groot; I am Groot. I am Groot. I am Groot. I am Groot! I am Groot. I am Groot. I am Groot. I am Groot. I am Groot. I am Groot. I am Groot. *I am Groot*. I am Groot. I am Groot. I am Groot! I am Groot. I am Groot. I am Groot. I am Groot. I am Groot. I am Groot. I am Groot. **I am Groot**. I am Groot. I am Groot. I am Groot; I am Groot. I am Groot. I am Groot. I am Groot. <u>I am Groot</u>. I am Groot. I am Groot - I am Groot. I am Groot.. I am Groot. I am Groot. I am Groot. I am Groot. I am Groot. I am Groot. I am Groot. **I am Groot**. I am Groot. I am Groot. I am Groot; I am Groot. I am Groot. I am

Groot. I am Groot. <u>I am Groot</u>. I am Groot. I am Groot - I am Groot. I am Groot..

I am Groot.

     I am Groot. I am Groot. I am *Groot*. I am Groot. I am Groot. I am Groot. I am Groot. I am Groot. I am Groot; I am Groot. I am Groot. I am Groot. I am Groot! I am Groot. I am Groot. I am Groot. I am Groot.. I am Groot. I am Groot. I am Groot. *I am Groot*. I am Groot. I am Groot. I am Groot! I am Groot. I am Groot. I am Groot. I am Groot. I am Groot. I am Groot. I am Groot. I am Groot. **I am Groot**. I am Groot. I am Groot. I am Groot; I am Groot. I am Groot. I am Groot. I am Groot. <u>I am Groot</u>. I am Groot. I am Groot - I am Groot. I am Groot.

     I am Groot. I am Groot. I am Groot. I am Groot. I am Groot. *I am Groot*. I am Groot. I am Groot. I am Groot! I am Groot. I am Groot. I am Groot. I am Groot. I am Groot. I am Groot. I am Groot. I am Groot. **I am Groot**. I am Groot. I am Groot. I am Groot; I am Groot. I am Groot. I am Groot. I am Groot. <u>I am Groot</u>. I am Groot. I am Groot - I am Groot. I am Groot.. I am Groot. I am Groot. I am *Groot*. I am Groot. I am Groot. I am Groot. I am Groot. I am Groot. I am Groot; I am Groot. I am Groot. I am Groot. I am Groot! I am Groot. I am Groot. I am Groot. I am Groot. I am Groot. I am Groot. I am Groot. *I am Groot*. I am Groot. I am Groot. I am Groot! I am Groot. I am Groot. I am Groot. I am Groot. I am Groot. I am Groot. **I am Groot**. I am Groot. I am Groot. I am Groot; I am Groot. I am Groot. I am Groot. I am Groot. <u>I am Groot</u>. I am Groot. I am Groot - I am Groot. I am Groot.. I am Groot. I am Groot. I am Groot. I am Groot. I am Groot. I am Groot. I am Groot. **I am Groot**. I am Groot. I am Groot. I am Groot; I am Groot. I am Groot. I am

Groot. I am Groot. <u>I am Groot</u>. I am Groot. I am Groot - I am Groot. I am Groot.

I am Groot. I am Groot. I am *Groot*. I am Groot. I am Groot. I am Groot. I am Groot. I am Groot. I am Groot; I am Groot. I am Groot. I am Groot. I am Groot! I am Groot. I am Groot. I am Groot. I am Groot.. I am Groot. I am Groot. I am Groot. *I am Groot*. I am Groot. I am Groot. I am Groot! I am Groot. I am Groot. I am Groot. I am Groot. I am Groot. I am Groot. I am Groot. I am Groot. **I am Groot**. I am Groot. I am Groot. I am Groot; I am Groot. I am Groot. I am Groot. I am Groot. <u>I am Groot</u>. I am Groot. I am Groot - I am Groot. I am Groot.

I am Groot. I am Groot. I am *Groot*. I am Groot. I am Groot. I am Groot. I am Groot. I am Groot. I am Groot; I am Groot. I am Groot. I am Groot. I am Groot! I am Groot. I am Groot. I am Groot. I am Groot.. I am Groot. I am Groot. I am Groot. I am Groot. I am Groot. I am *Groot*. I am Groot. I am Groot. I am Groot. I am Groot. I am Groot. I am Groot; I am Groot. I am Groot. I am Groot. I am Groot! I am Groot. I am Groot. I am Groot. I am Groot.. I am Groot. I am Groot. I am Groot. *I am Groot*. I am Groot. I am Groot. I am Groot! I am Groot. I am Groot. I am Groot. I am Groot. I am Groot. I am Groot. I am Groot. I am Groot. I am Groot. I am Groot. I am Groot. I am Groot. I am Groot. I am Groot; I am Groot. I am Groot. I am Groot. I am Groot. <u>I am Groot</u>. I am Groot. I am Groot - I am Groot. I am Groot.

I am Groot. I am Groot. I am *Groot*. I am Groot. I am Groot. I am Groot. I am Groot. I am Groot. I am Groot; I am Groot. I am Groot. I am Groot. I am Groot! I am Groot. I am Groot. I am Groot. I am Groot.. I am Groot. I am Groot. I am Groot. *I am Groot*. I am Groot. I am Groot. I am Groot! I am Groot. I am Groot. I am Groot. I am Groot. I am Groot. I am Groot. I am Groot. I am Groot. I am Groot. **I am Groot**. I am Groot. I am Groot. I am Groot; I am Groot. I am Groot. I am Groot. I am Groot. <u>I am Groot</u>. I am Groot. I am Groot - I am Groot. I am Groot. I am Groot. I am *Groot*. I am Groot. I am Groot. I am Groot. I am Groot. I am Groot. I am Groot; I am Groot. I am Groot. I am Groot. I am Groot! I am Groot. I am Groot. I am Groot. I am Groot.. I am Groot. I am Groot. I am Groot

I am Groot. I am Groot. I am *Groot*. I am Groot. I am Groot. I am Groot. I am Groot. I am Groot. I am Groot; I am Groot. I am Groot. I am Groot. I am Groot! I am Groot. I am Groot. I am Groot. I am Groot.. I am Groot. I am Groot. I am Groot. *I am Groot*. I am Groot. I am Groot. I am Groot! I am Groot. I am Groot. I am Groot. I am Groot. I am Groot. I am Groot. I am Groot. I am Groot. **I am Groot**. I am Groot. I am Groot. I am Groot; I am Groot. I am Groot. I am Groot. I am Groot. <u>I am Groot</u>. I am Groot! I am Groot - I am Groot. I am Groot. I am Groot. I am Groot. I am *Groot*.... I am Groot. I am Groot. I am Groot. I am Groot. I am Groot. I am Groot; I am Groot. I am Groot. I am Groot. I am Groot! I am Groot. I am Groot. I am Groot. I am Groot.. I am Groot. I am Groot. I am Groot

I am Groot. I am Groot. I am *Groot*. I am Groot. I am Groot. I am Groot. I am Groot. I am Groot. I am Groot. I am *Groot*. I am Groot. I am Groot. I am Groot. I am Groot. I am Groot. I am Groot; I am Groot. I am Groot. I am Groot. I am Groot! I am Groot. I am Groot. I am Groot. I am Groot.. I am Groot. I am Groot. I am Groot. *I am Groot*. I am Groot. I am Groot. I am Groot! I am Groot.... I am Groot. I am Groot. I am Groot. I am Groot. I am Groot. I am Groot. I am Groot. **I am Groot**. I am Groot. I am Groot. I am Groot; I am Groot. I am Groot. I am Groot. I am Groot. <u>I am Groot</u>. I am Groot. I am Groot - I am Groot. I am Groot. I am Groot. I am Groot. I am *Groot*. I am Groot. I am Groot. I am Groot. I am Groot. I am Groot. I am Groot; I am Groot. I am Groot. I am Groot. I am Groot! I am Groot. I am Groot. I am Groot. I am Groot.. I am Groot. I am Groot. I am Groot

I am Groot. I am Groot; I am Groot. I am Groot. I am Groot. I am Groot! I am Groot. I am Groot. I am Groot. I am Groot.. I am Groot. I am Groot. I am Groot. *I am Groot*. I am Groot. I am Groot. I am Groot! I am Groot. I am Groot. I am Groot. I am Groot. I am Groot. I am Groot. I am Groot. I am Groot. **I am Groot**. I am Groot. I am Groot. I am Groot; I am Groot. I am Groot. I am Groot. I am Groot. <u>I am Groot</u>. I am Groot. I am Groot - I am Groot. I am Groot. I am Groot. I am Groot. I am *Groot*. I am Groot. I am Groot. I am Groot. I am Groot. I am Groot. I am Groot; I am Groot. I am Groot. I am Groot. I am Groot! I am Groot. I am Groot. I am Groot. I am Groot.. I am Groot. I am Groot. I am Groot. I am Groot. I am Groot. I am *Groot*. I am Groot. I am Groot. I am Groot. I am Groot. I am Groot…... I am Groot; I am Groot. I am Groot. I am Groot. I am Groot! I am Groot. I am Groot. I am Groot. I am Groot.. I am Groot. I am Groot. I am Groot. *I am Groot*. I am Groot. I am Groot. I am Groot! I am Groot. I am Groot. I am Groot. I am Groot. I am Groot. I am Groot. I am Groot. **I am Groot**. I am Groot. I am Groot. I am Groot; I am Groot. I am Groot. I am Groot. I am Groot. <u>I am Groot</u>. I am Groot. I am Groot - I am Groot. I am Groot. I am Groot. I am Groot. I am *Groot*. I am Groot. I am Groot. I am Groot. I am Groot. I am Groot. I am Groot; I am Groot. I am Groot. I am Groot. I am Groot! I am Groot. I am Groot. I am Groot. I am Groot.. I am Groot. I am Groot. I am Groot….**I am Groot**. I am Groot. I am Groot. I am Groot; I am Groot. I am Groot. I am Groot. I am Groot. <u>I am Groot</u>. I am Groot. I am Groot - I am Groot. I am Groot. I am Groot. I am Groot. I am *Groot*. I am Groot. I am Groot. I am Groot. I am Groot. I am Groot. I am Groot; I am Groot. I am Groot. I am Groot. I am Groot! I am Groot. I am Groot. I am Groot. I am Groot.. I am Groot. I am Groot. I am Groot

I am Groot. I am Groot. I am Groot. <u>I am Groot</u>. I am Groot. I am Groot - I am Groot. I am Groot. I am Groot.

I am Groot. I am *Groot*. I am Groot. I am Groot….. I am Groot. I am Groot. I am Groot. I am Groot; I am Groot. I am Groot. I am Groot. I am Groot! I am Groot. I am Groot. I am Groot. I am Groot.. I am Groot. I am Groot. I am Groot….**I am Groot**. I am Groot. I am Groot. I am Groot; I am Groot. I am Groot. I am Groot. I am Groot. I am Groot. I am Groot. I am Groot - I am Groot. I am Groot. I am Groot. I am Groot. I am *Groot*. I am Groot. I am Groot. I am Groot. I am Groot. I am Groot. I am Groot; I am Groot. I am Groot. I am Groot. I am Groot! I am Groot. I am Groot. I am Groot. I am Groot.. I am Groot. I am Groot. I am Groot.

I am Groot. I am Groot. I am *Groot*. I am Groot. I am Groot. I am Groot. I am Groot. I am Groot. I am Groot; I am Groot. I am Groot. I am Groot. I am Groot! I am Groot. I am Groot. I am Groot. I am Groot. I am Groot. I am Groot. I am Groot. *I am Groot*. I am Groot. I am Groot. I am Groot! I am Groot. I am Groot. I am Groot. I am Groot. I am Groot. I am Groot. I am Groot. I am Groot. **I am Groot**. I am Groot. I am Groot. I am Groot; I am Groot. I am Groot. I am Groot. I am Groot. I am Groot. <u>I am Groot</u>. I am Groot. I am Groot - I am Groot. I am Groot..

I am Groot. I am Groot. I am Groot. I am Groot. I am Groot. *I am Groot*. I am Groot. I am Groot. I am Groot! I am Groot. I am Groot. I am Groot. I am Groot. I am Groot. I am Groot. I am Groot. I am Groot. **I am Groot**. I am Groot. I am Groot. I am Groot; I am Groot. I am Groot. I am Groot. I am Groot. <u>I am Groot</u>. I am Groot. I am Groot - I am Groot. I am Groot.. I am Groot. I am Groot. I am *Groot*. I am Groot. I am Groot. I am Groot. I am Groot. I am Groot. I am Groot; I am Groot. I am Groot. I am Groot. I am Groot! I am Groot. I am Groot. I am Groot. I am Groot. I am Groot. I am Groot. I am Groot. *I am Groot*. I am Groot. I am Groot. I am Groot! I am Groot. I am Groot. I am Groot. I am Groot. I am Groot. I am Groot. I am Groot. I am Groot. **I am Groot**. I am Groot. I am Groot. I

am Groot; I am Groot. I am Groot. I am Groot. I am Groot.
<u>I am Groot</u>. I am Groot. I am Groot - I am Groot. I am
Groot.. I am Groot. I am Groot. I am Groot. I am Groot. I
am Groot. I am Groot. I am Groot. **I am Groot**. I am Groot.
I am Groot. I am Groot; I am Groot. I am Groot. I am
Groot. I am Groot. <u>I am Groot</u>. I am Groot. I am Groot - I
am Groot. I am Groot..

I am Groot.

I am Groot. I am Groot. I am *Groot*. I am Groot. I
am Groot. I am Groot. I am Groot. I am Groot. I am Groot;
I am Groot. I am Groot. I am Groot. I am Groot! I am
Groot. I am Groot. I am Groot. I am Groot.. I am Groot. I
am Groot. I am Groot. *I am Groot*. I am Groot. I am Groot.
I am Groot! I am Groot. I am Groot. I am Groot. I am
Groot. I am Groot. I am Groot. I am Groot. I am Groot. **I
am Groot**. I am Groot. I am Groot. I am Groot; I am Groot.
I am Groot. I am Groot. I am Groot. <u>I am Groot</u>. I am
Groot. I am Groot - I am Groot. I am Groot.

I am Groot. I am Groot. I am Groot. I am Groot. I
am Groot. *I am Groot*. I am Groot. I am Groot. I am Groot!
I am Groot. I am Groot. I am Groot. I am Groot. I am
Groot. I am Groot. I am Groot. I am Groot. **I am Groot**. I
am Groot. I am Groot. I am Groot; I am Groot. I am Groot.
I am Groot. I am Groot. <u>I am Groot</u>. I am Groot. I am Groot
- I am Groot. I am Groot.. I am Groot. I am Groot. I am
Groot. I am Groot. I am Groot. I am Groot. I am Groot. I
am Groot. I am Groot; I am Groot. I am Groot. I am Groot.
I am Groot! I am Groot. I am Groot. I am Groot. I am
Groot. I am Groot. I am Groot. I am Groot. *I am Groot*. I
am Groot. I am Groot. I am Groot! I am Groot. I am Groot.
I am Groot. I am Groot. I am Groot. I am Groot. I am
Groot. I am Groot. **I am Groot**. I am Groot. I am Groot. I
am Groot; I am Groot. I am Groot. I am Groot. I am Groot.

I am Groot. I am Groot. I am Groot - I am Groot. I am Groot.. I am Groot. I am Groot. I am Groot. I am Groot. I am Groot. I am Groot. I am Groot. **I am Groot**. I am Groot. I am Groot. I am Groot; I am Groot. I am Groot. I am Groot. I am Groot. I am Groot. I am Groot. I am Groot - I am Groot. I am Groot.

I am Groot. I am Groot. I am *Groot*. I am Groot. I am Groot. I am Groot. I am Groot. I am Groot. I am Groot; I am Groot. I am Groot. I am Groot. I am Groot! I am Groot. I am Groot. I am Groot. I am Groot.. I am Groot. I am Groot. I am Groot. *I am Groot*. I am Groot. I am Groot. I am Groot! I am Groot. I am Groot. I am Groot. I am Groot. I am Groot. I am Groot. I am Groot. I am Groot. **I am Groot**. I am Groot. I am Groot. I am Groot; I am Groot. I am Groot. I am Groot. I am Groot. I am Groot. I am Groot. I am Groot - I am Groot. I am Groot.

I am Groot. I am Groot. I am *Groot*. I am Groot. I am Groot. I am Groot. I am Groot. I am Groot. I am Groot; I am Groot. I am Groot. I am Groot. I am Groot! I am Groot. I am Groot. I am Groot. I am Groot.. I am Groot. I am Groot. I am Groot. I am Groot. I am Groot. I am *Groot*. I am Groot. I am Groot. I am Groot. I am Groot. I am Groot. I am Groot; I am Groot. I am Groot. I am Groot. I am Groot! I am Groot. I am Groot. I am Groot. I am Groot.. I am Groot. I am Groot. I am Groot. *I am Groot*. I am Groot. I am Groot. I am Groot. I am Groot! I am Groot. I am Groot. I am Groot. I am Groot. I am Groot. I am Groot. I am Groot. I am Groot. I am Groot. I am Groot. I am Groot. I am Groot. I am Groot. I am Groot; I am Groot. I am Groot. I am Groot. I am Groot. I am Groot. I am Groot. I am Groot. I am Groot - I am Groot. I am Groot.

I am Groot. I am Groot. I am *Groot*. I am Groot. I am Groot. I am Groot. I am Groot. I am Groot. I am Groot; I am Groot. I am Groot. I am Groot. I am Groot! I am Groot. I am Groot. I am Groot. I am Groot.. I am Groot. I am Groot. I am Groot. *I am Groot*. I am Groot. I am Groot. I am Groot! I am Groot. I am Groot. I am Groot. I am

Groot. I am Groot. I am Groot. I am Groot. I am Groot. **I am Groot**. I am Groot. I am Groot. I am Groot; I am Groot. I am Groot. I am Groot. I am Groot. I am Groot. I am Groot. I am Groot - I am Groot. I am Groot. I am Groot. I am Groot. I am *Groot*. I am Groot. I am Groot. I am Groot. I am Groot. I am Groot. I am Groot; I am Groot. I am Groot. I am Groot. I am Groot! I am Groot. I am Groot. I am Groot. I am Groot.. I am Groot. I am Groot. I am Groot

I am Groot. I am Groot. I am *Groot*. I am Groot. I am Groot. I am Groot. I am Groot. I am Groot. I am Groot; I am Groot. I am Groot. I am Groot. I am Groot! I am Groot. I am Groot. I am Groot. I am Groot.. I am Groot. I am Groot. I am Groot. *I am Groot*. I am Groot. I am Groot. I am Groot! I am Groot. I am Groot. I am Groot. I am Groot. I am Groot. I am Groot. I am Groot. I am Groot. **I am Groot**. I am Groot. I am Groot. I am Groot; I am Groot. I am Groot. I am Groot. I am Groot. I am Groot. I am Groot! I am Groot - I am Groot. I am Groot. I am Groot. I am Groot. I am *Groot*…. I am Groot. I am Groot. I am Groot. I am Groot. I am Groot. I am Groot; I am Groot. I am Groot. I am Groot. I am Groot! I am Groot. I am Groot. I am Groot. I am Groot.. I am Groot. I am Groot. I am Groot. I am Groot

I am Groot. I am Groot. I am *Groot*. I am Groot. I am Groot. I am Groot. I am Groot. I am Groot. I am Groot. I am *Groot*. I am Groot. I am Groot. I am Groot. I am Groot. I am Groot; I am Groot. I am Groot. I am Groot. I am Groot! I am Groot. I am Groot. I am Groot. I am Groot.. I am Groot. I am Groot. I am Groot. *I am Groot*. I am Groot. I am Groot. I am Groot! I am Groot…. I am Groot. I am Groot. I am Groot. I am Groot. I am Groot. I am Groot. I am Groot. **I am Groot**. I am Groot. I am Groot. I am Groot; I am Groot. I am Groot. I am Groot. I am Groot. I am Groot. I am Groot. I am Groot. I am Groot - I am Groot. I am Groot. I am Groot. I am Groot. I am *Groot*. I am Groot. I am Groot. I am Groot. I am Groot. I am Groot. I

am Groot; I am Groot. I am Groot. I am Groot. I am Groot!
I am Groot. I am Groot. I am Groot. I am Groot.. I am
Groot. I am Groot. I am Groot

I am Groot. I am Groot; I am Groot. I am Groot. I
am Groot. I am Groot! I am Groot. I am Groot. I am Groot.
I am Groot.. I am Groot. I am Groot. I am Groot. *I am
Groot*. I am Groot. I am Groot. I am Groot! I am Groot. I
am Groot. I am Groot. I am Groot. I am Groot. I am Groot.
I am Groot. I am Groot. **I am Groot**. I am Groot. I am
Groot. I am Groot; I am Groot. I am Groot. I am Groot. I
am Groot. <u>I am Groot</u>. I am Groot. I am Groot - I am Groot.
I am Groot. I am Groot. I am Groot. I am *Groot*. I am
Groot. I am Groot. I am Groot. I am Groot. I am Groot. I
am Groot; I am Groot. I am Groot. I am Groot. I am Groot!
I am Groot. I am Groot. I am Groot. I am Groot.. I am
Groot. I am Groot. I am Groot. I am Groot. I am Groot. I
am *Groot*. I am Groot. I am Groot. I am Groot. I am Groot.
I am Groot…... I am Groot; I am Groot. I am Groot. I am
Groot. I am Groot! I am Groot. I am Groot. I am Groot. I
am Groot.. I am Groot. I am Groot. I am Groot. *I am Groot*.
I am Groot. I am Groot. I am Groot! I am Groot. I am
Groot. I am Groot. I am Groot. I am Groot. I am Groot. I
am Groot. I am Groot. **I am Groot**. I am Groot. I am Groot.
I am Groot; I am Groot. I am Groot. I am Groot. I am
Groot. <u>I am Groot</u>. I am Groot. I am Groot - I am Groot. I
am Groot. I am Groot. I am Groot. I am *Groot*. I am Groot.
I am Groot. I am Groot. I am Groot. I am Groot. I am
Groot; I am Groot. I am Groot. I am Groot. I am Groot! I
am Groot. I am Groot. I am Groot. I am Groot.. I am Groot.
I am Groot. I am Groot….**I am Groot**. I am Groot. I am
Groot. I am Groot; I am Groot. I am Groot. I am Groot. I
am Groot. <u>I am Groot</u>. I

am Groot. I am Groot - I am Groot. I am Groot. I
am Groot. I am Groot. I am *Groot*. I am Groot. I am Groot.
I am Groot. I am Groot. I am Groot. I am Groot; I am
Groot. I am Groot. I am Groot. I am Groot! I am Groot. I

am Groot. I am Groot. I am Groot.. I am Groot. I am Groot.
I am Groot

I am Groot. I am Groot. I am Groot. I am Groot. I am Groot. I am Groot - I am Groot. I am Groot. I am Groot. I am Groot. I am *Groot*. I am Groot. I am Groot….. I am Groot. I am Groot. I am Groot. I am Groot; I am Groot. I am Groot. I am Groot. I am Groot! I am Groot. I am Groot. I am Groot. I am Groot.. I am Groot. I am Groot. I am Groot….**I am Groot**. I am Groot. I am Groot. I am Groot; I am Groot. I am Groot. I am Groot. I am Groot. I am Groot. I am Groot. I am Groot - I am Groot. I am Groot. I am Groot. I am Groot. I am *Groot*. I am Groot. I am Groot. I am Groot. I am Groot. I am Groot. I am Groot; I am Groot. I am Groot. I am Groot. I am Groot! I am Groot. I am Groot. I am Groot. I am Groot.. I am Groot. I am Groot. I am Groot.

I am Groot. I am Groot. I am *Groot*. I am Groot. I am Groot. I am Groot. I am Groot. I am Groot. I am Groot; I am Groot. I am Groot. I am Groot. I am Groot! I am Groot. I am Groot. I am Groot. I am Groot. I am Groot. I am Groot. I am Groot. *I am Groot*. I am Groot. I am Groot. I am Groot! I am Groot. I am Groot. I am Groot. I am Groot. I am Groot. I am Groot. I am Groot. I am Groot. **I am Groot**. I am Groot. I am Groot. I am Groot; I am Groot. I am Groot. I am Groot. I am Groot. I am Groot. I am Groot - I am Groot. I am Groot..

I am Groot. I am Groot. I am Groot. I am Groot. I am Groot. *I am Groot*. I am Groot. I am Groot. I am Groot! I am Groot. I am Groot. I am Groot. I am Groot. I am Groot. I am Groot. I am Groot. I am Groot. **I am Groot**. I am Groot. I am Groot. I am Groot; I am Groot. I am Groot. I am Groot. I am Groot. I am Groot. I am Groot - I am Groot. I am Groot.. I am Groot. I am Groot. I am *Groot*. I am Groot. I am Groot. I am Groot. I am Groot. I am Groot. I am Groot; I am Groot. I am Groot. I am Groot. I am Groot! I am Groot. I am Groot. I am Groot. I am

Groot. I am Groot. I am Groot. I am Groot. *I am Groot.* I am Groot. I am Groot. I am Groot! I am Groot. I am Groot. I am Groot. I am Groot. I am Groot. I am Groot. I am Groot. I am Groot. **I am Groot**. I am Groot. I am Groot. I am Groot; I am Groot. I am Groot. I am Groot. I am Groot. <u>I am Groot</u>. I am Groot. I am Groot - I am Groot. I am Groot.. I am Groot. I am Groot. I am Groot. I am Groot. I am Groot. I am Groot. I am Groot. **I am Groot**. I am Groot. I am Groot. I am Groot; I am Groot. I am Groot. I am Groot. I am Groot. <u>I am Groot</u>. I am Groot. I am Groot - I am Groot. I am Groot..

I am Groot.

I am Groot. I am Groot. I am *Groot*. I am Groot. I am Groot. I am Groot. I am Groot. I am Groot. I am Groot; I am Groot. I am Groot. I am Groot. I am Groot! I am Groot. I am Groot. I am Groot. I am Groot.. I am Groot. I am Groot. I am Groot. *I am Groot*. I am Groot. I am Groot. I am Groot! I am Groot. I am Groot. I am Groot. I am Groot. I am Groot. I am Groot. I am Groot. I am Groot. **I am Groot**. I am Groot. I am Groot. I am Groot; I am Groot. I am Groot. I am Groot. I am Groot. <u>I am Groot</u>. I am Groot. I am Groot - I am Groot. I am Groot.

I am Groot. I am Groot. I am Groot. I am Groot. I am Groot. *I am Groot*. I am Groot. I am Groot. I am Groot! I am Groot. I am Groot. I am Groot. I am Groot. I am Groot. I am Groot. I am Groot. I am Groot. **I am Groot**. I am Groot. I am Groot. I am Groot; I am Groot. I am Groot. I am Groot. I am Groot. <u>I am Groot</u>. I am Groot. I am Groot - I am Groot. I am Groot.. I am Groot. I am Groot. I am *Groot*. I am Groot. I am Groot. I am Groot. I am Groot. I am Groot. I am Groot; I am Groot. I am Groot. I am Groot. I am Groot. I am Groot! I am Groot. I am Groot. I am Groot. I am Groot. I am Groot. I am Groot. I am Groot. *I am Groot*. I am Groot. I am Groot. I am Groot! I am Groot. I am Groot. I am Groot. I am Groot. I am Groot. I am Groot. I am Groot. I am Groot. **I am Groot**. I am Groot. I am Groot. I am Groot; I am Groot. I am Groot. I am Groot. I am Groot. <u>I am Groot</u>. I am Groot. I am Groot - I am Groot. I am Groot.. I am Groot. I am Groot. I am Groot. I am Groot. I am Groot. I am Groot. I am Groot. **I am Groot**. I am Groot. I am Groot. I am Groot; I am Groot. I am Groot. I am Groot. I am Groot. <u>I am Groot</u>. I am Groot. I am Groot - I am Groot. I am Groot.

I am Groot. I am Groot. I am *Groot*. I am Groot. I am Groot. I am Groot. I am Groot. I am Groot. I am Groot; I am Groot. I am Groot. I am Groot. I am Groot! I am Groot. I am Groot. I am Groot. I am Groot.. I am Groot. I am Groot. I am Groot. *I am Groot*. I am Groot. I am Groot. I am Groot! I am Groot. I am Groot. I am Groot. I am Groot. I am Groot. I am Groot. I am Groot. I am Groot. **I am Groot**. I am Groot. I am Groot. I am Groot; I am Groot. I am Groot. I am Groot. I am Groot. <u>I am Groot</u>. I am Groot. I am Groot - I am Groot. I am Groot.

I am Groot. I am Groot. I am *Groot*. I am Groot. I am Groot. I am Groot. I am Groot. I am Groot. I am Groot; I am Groot. I am Groot. I am Groot. I am Groot! I am Groot. I am Groot. I am Groot. I am Groot.. I am Groot. I am Groot. I am Groot. I am Groot. I am *Groot*. I am Groot. I am Groot. I am Groot. I am Groot. I am Groot. I am Groot; I am Groot. I am Groot. I am Groot. I am Groot! I am Groot. I am Groot. I am Groot. I am Groot.. I am Groot. I am Groot. I am Groot. *I am Groot*. I am Groot. I am Groot. I am Groot! I am Groot. I am Groot. I am Groot. I am Groot. I am Groot. I am Groot. I am Groot. I am Groot. I am Groot. I am Groot. I am Groot. I am Groot. I am Groot; I am Groot. I am Groot. I am Groot. I am Groot. I am Groot. <u>I am Groot</u>. I am Groot. I am Groot - I am Groot. I am Groot.

I am Groot. I am Groot. I am *Groot*. I am Groot. I am Groot. I am Groot. I am Groot. I am Groot. I am Groot;

I am Groot. I am Groot. I am Groot. I am Groot! I am
Groot. I am Groot. I am Groot. I am Groot.. I am Groot. I
am Groot. I am Groot. *I am Groot*. I am Groot. I am Groot.
I am Groot! I am Groot. I am Groot. I am Groot. I am
Groot. I am Groot. I am Groot. I am Groot. I am Groot. **I
am Groot**. I am Groot. I am Groot. I am Groot; I am Groot.
I am Groot. I am Groot. I am Groot. I am Groot. I am
Groot. I am Groot - I am Groot. I am Groot. I am Groot. I
am Groot. I am *Groot*. I am Groot. I am Groot. I am Groot.
I am Groot. I am Groot. I am Groot; I am Groot. I am
Groot. I am Groot. I am Groot! I am Groot. I am Groot. I
am Groot. I am Groot.. I am Groot. I am Groot. I am Groot

I am Groot. I am Groot. I am *Groot*. I am Groot. I
am Groot. I am Groot. I am Groot. I am Groot. I am Groot;
I am Groot. I am Groot. I am Groot. I am Groot! I am
Groot. I am Groot. I am Groot. I am Groot.. I am Groot. I
am Groot. I am Groot. *I am Groot*. I am Groot. I am Groot.
I am Groot! I am Groot. I am Groot. I am Groot. I am
Groot. I am Groot. I am Groot. I am Groot. I am Groot. **I
am Groot**. I am Groot. I am Groot. I am Groot; I am Groot.
I am Groot. I am Groot. I am Groot. I am Groot. I am
Groot! I am Groot - I am Groot. I am Groot. I am Groot. I
am Groot. I am *Groot*…. I am Groot. I am Groot. I am
Groot. I am Groot. I am Groot. I am Groot; I am Groot. I
am Groot. I am Groot. I am Groot! I am Groot. I am Groot.
I am Groot. I am Groot.. I am Groot. I am Groot. I am
Groot

I am Groot. I am Groot. I am *Groot*. I am Groot. I
am Groot. I am Groot. I am Groot. I am Groot. I am Groot.
I am *Groot*. I am Groot. I am Groot. I am Groot. I am
Groot. I am Groot. I am Groot; I am Groot. I am Groot. I
am Groot. I am Groot! I am Groot. I am Groot. I am Groot.
I am Groot.. I am Groot. I am Groot. I am Groot. *I am
Groot*. I am Groot. I am Groot. I am Groot! I am Groot…. I
am Groot. I am Groot. I am Groot. I am Groot. I am Groot.
I am Groot. I am Groot. **I am Groot**. I am Groot. I am

Groot. I am Groot; I am Groot. I am Groot. I am Groot. I am Groot. I am Groot. I am Groot. I am Groot - I am Groot. I am Groot. I am Groot. I am Groot. I am *Groot*. I am Groot. I am Groot. I am Groot. I am Groot. I am Groot. I am Groot; I am Groot. I am Groot. I am Groot. I am Groot! I am Groot. I am Groot. I am Groot. I am Groot.. I am Groot. I am Groot. I am Groot

I am Groot. I am Groot; I am Groot. I am Groot. I am Groot. I am Groot! I am Groot. I am Groot. I am Groot. I am Groot.. I am Groot. I am Groot. I am Groot. *I am Groot*. I am Groot. I am Groot. I am Groot! I am Groot. I am Groot. I am Groot. I am Groot. I am Groot. I am Groot. I am Groot. I am Groot. **I am Groot**. I am Groot. I am Groot. I am Groot; I am Groot. I am Groot. I am Groot. I am Groot. I am Groot. I am Groot. I am Groot. I am Groot - I am Groot. I am Groot. I am Groot. I am Groot. I am *Groot*. I am Groot. I am Groot. I am Groot. I am Groot. I am Groot. I am Groot; I am Groot. I am Groot. I am Groot. I am Groot! I am Groot. I am Groot. I am Groot. I am Groot.. I am Groot. I am Groot. I am Groot. I am Groot. I am Groot. I am *Groot*. I am Groot. I am Groot. I am Groot. I am Groot. I am Groot…... I am Groot; I am Groot. I am Groot. I am Groot. I am Groot! I am Groot. I am Groot. I am Groot. I am Groot.. I am Groot. I am Groot. I am Groot. *I am Groot*. I am Groot. I am Groot. I am Groot! I am Groot. I am Groot. I am Groot. I am Groot. I am Groot. I am Groot. I am Groot. I am Groot. **I am Groot**. I am Groot. I am Groot. I am Groot; I am Groot. I am Groot. I am Groot. I am Groot. I am Groot. I am Groot. I am Groot - I am Groot. I am Groot. I am Groot. I am Groot. I am *Groot*. I am Groot. I am Groot. I am Groot. I am Groot. I am Groot. I am Groot; I am Groot. I am Groot. I am Groot. I am Groot! I am Groot. I am Groot. I am Groot. I am Groot.. I am Groot. I am Groot. I am Groot….**I am Groot**. I am Groot. I am Groot. I am Groot; I am Groot. I am Groot. I am Groot. I am Groot. I am Groot. I am Groot. I am Groot - I am Groot.

I am Groot. I am Groot. I am Groot. I am *Groot*. I am Groot. I am Groot. I am Groot. I am Groot. I am Groot. I am Groot; I am Groot. I am Groot. I am Groot. I am Groot! I am Groot. I am Groot. I am Groot. I am Groot.. I am Groot. I am Groot. I am Groot

      I am Groot. I am Groot. I am Groot. <u>I am Groot</u>. I am Groot. I am Groot - I am Groot. I am Groot. I am Groot.

I am Groot

I am Groot. I am *Groot*. I am Groot. I am Groot…..
I am Groot. I am Groot. I am Groot. I am Groot; I am
Groot. I am Groot. I am Groot. I am Groot! I am Groot. I
am Groot. I am Groot. I am Groot.. I am Groot. I am Groot.
I am Groot….**I am Groot**. I am Groot. I am Groot. I am
Groot; I am Groot. I am Groot. I am Groot. I am Groot. I
am Groot. I am Groot. I am Groot - I am Groot. I am Groot.
I am Groot. I am Groot. I am *Groot*. I am Groot. I am
Groot. I am Groot. I am Groot. I am Groot. I am Groot; I
am Groot. I am Groot. I am Groot. I am Groot! I am Groot.
I am Groot. I am Groot. I am Groot.. I am Groot. I am
Groot. I am Groot.

I am Groot. I am Groot. I am *Groot*. I am Groot. I
am Groot. I am Groot. I am Groot. I am Groot. I am Groot;
I am Groot. I am Groot. I am Groot. I am Groot! I am
Groot. I am Groot. I am Groot. I am Groot. I am Groot. I
am Groot. I am Groot. *I am Groot*. I am Groot. I am Groot.
I am Groot! I am Groot. I am Groot. I am Groot. I am
Groot. I am Groot. I am Groot. I am Groot. I am Groot. **I
am Groot**. I am Groot. I am Groot. I am Groot; I am Groot.
I am Groot. I am Groot. I am Groot. I am Groot. I am
Groot. I am Groot - I am Groot. I am Groot..

I am Groot. I am Groot. I am Groot. I am Groot. I
am Groot. *I am Groot*. I am Groot. I am Groot. I am Groot!
I am Groot. I am Groot. I am Groot. I am Groot. I am
Groot. I am Groot. I am Groot. I am Groot. **I am Groot**. I
am Groot. I am Groot. I am Groot; I am Groot. I am Groot.
I am Groot. I am Groot. I am Groot. I am Groot. I am Groot
- I am Groot. I am Groot.. I am Groot. I am Groot. I am
Groot. I am Groot. I am Groot. I am Groot. I am Groot. I
am Groot. I am Groot; I am Groot. I am Groot. I am Groot.
I am Groot! I am Groot. I am Groot. I am Groot. I am
Groot. I am Groot. I am Groot. I am Groot. *I am Groot*. I

am Groot. I am Groot. I am Groot! I am Groot. I am Groot. I am Groot. I am Groot. I am Groot. I am Groot. I am Groot. I am Groot. **I am Groot**. I am Groot. I am Groot. I am Groot; I am Groot. I am Groot. I am Groot. I am Groot. <u>I am Groot</u>. I am Groot. I am Groot - I am Groot. I am Groot.. I am Groot. I am Groot. I am Groot. I am Groot. I am Groot. I am Groot. I am Groot. **I am Groot**. I am Groot. I am Groot. I am Groot; I am Groot. I am Groot. I am Groot. I am Groot. I am Groot. <u>I am Groot</u>. I am Groot. I am Groot - I am Groot. I am Groot..

I am Groot.

I am Groot. I am Groot. I am *Groot*. I am Groot. I am Groot. I am Groot. I am Groot. I am Groot. I am Groot; I am Groot. I am Groot. I am Groot. I am Groot! I am Groot. I am Groot. I am Groot. I am Groot.. I am Groot. I am Groot. I am Groot. *I am Groot*. I am Groot. I am Groot. I am Groot! I am Groot. I am Groot. I am Groot. I am Groot. I am Groot. I am Groot. I am Groot. I am Groot. **I am Groot**. I am Groot. I am Groot. I am Groot; I am Groot. I am Groot. I am Groot. I am Groot. <u>I am Groot</u>. I am Groot. I am Groot - I am Groot. I am Groot.

I am Groot. I am Groot. I am Groot. I am Groot. I am Groot. *I am Groot*. I am Groot. I am Groot. I am Groot! I am Groot. I am Groot. I am Groot. I am Groot. I am Groot. I am Groot. I am Groot. I am Groot. **I am Groot**. I am Groot. I am Groot. I am Groot; I am Groot. I am Groot. I am Groot. I am Groot. <u>I am Groot</u>. I am Groot. I am Groot - I am Groot. I am Groot.. I am Groot. I am Groot. I am *Groot*. I am Groot. I am Groot. I am Groot. I am Groot. I am Groot. I am Groot; I am Groot. I am Groot. I am Groot. I am Groot! I am Groot. I am Groot. I am Groot. I am Groot. I am Groot. I am Groot. I am Groot. *I am Groot*. I am Groot. I am Groot. I am Groot! I am Groot. I am Groot.

I am Groot. I am Groot. I am Groot. I am Groot. I am Groot. I am Groot. **I am Groot**. I am Groot. I am Groot. I am Groot; I am Groot. I am Groot. I am Groot. I am Groot. I am Groot. I am Groot. I am Groot - I am Groot. I am Groot.. I am Groot. I am Groot. I am Groot. I am Groot. I am Groot. I am Groot. I am Groot. **I am Groot**. I am Groot. I am Groot. I am Groot; I am Groot. I am Groot. I am Groot. I am Groot. I am Groot. I am Groot. I am Groot - I am Groot. I am Groot.

I am Groot. I am Groot. I am *Groot*. I am Groot. I am Groot. I am Groot. I am Groot. I am Groot. I am Groot; I am Groot. I am Groot. I am Groot. I am Groot! I am Groot. I am Groot. I am Groot. I am Groot.. I am Groot. I am Groot. I am Groot. *I am Groot*. I am Groot. I am Groot. I am Groot! I am Groot. I am Groot. I am Groot. I am Groot. I am Groot. I am Groot. I am Groot. I am Groot. **I am Groot**. I am Groot. I am Groot. I am Groot; I am Groot. I am Groot. I am Groot. I am Groot. I am Groot. I am Groot. I am Groot - I am Groot. I am Groot.

I am Groot. I am Groot. I am *Groot*. I am Groot. I am Groot. I am Groot. I am Groot. I am Groot. I am Groot; I am Groot. I am Groot. I am Groot. I am Groot! I am Groot. I am Groot. I am Groot. I am Groot.. I am Groot. I am Groot. I am Groot. I am Groot. I am *Groot*. I am Groot. I am Groot. I am Groot. I am Groot. I am Groot. I am Groot; I am Groot. I am Groot. I am Groot. I am Groot. I am Groot! I am Groot. I am Groot. I am Groot. I am Groot.. I am Groot. I am Groot. I am Groot. *I am Groot*. I am Groot. I am Groot. I am Groot! I am Groot. I am Groot. I am Groot. I am Groot. I am Groot. I am Groot. I am Groot. I am Groot. I am Groot. I am Groot. I am Groot. I am Groot; I am Groot. I am Groot. I am Groot. I am Groot. I am Groot. I am Groot. I am Groot. I am Groot - I am Groot. I am Groot.

I am Groot. I am Groot. I am *Groot*. I am Groot. I am Groot. I am Groot. I am Groot. I am Groot. I am Groot; I am Groot. I am Groot. I am Groot. I am Groot! I am

Groot. I am Groot. I am Groot. I am Groot.. I am Groot. I am Groot. I am Groot. *I am Groot*. I am Groot. I am Groot. I am Groot! I am Groot. I am Groot. I am Groot. I am Groot. I am Groot. I am Groot. I am Groot. I am Groot. **I am Groot**. I am Groot. I am Groot. I am Groot; I am Groot. I am Groot. I am Groot. I am Groot. <u>I am Groot</u>. I am Groot. I am Groot - I am Groot. I am Groot. I am Groot. I am Groot. I am *Groot*. I am Groot. I am Groot. I am Groot. I am Groot. I am Groot. I am Groot; I am Groot. I am Groot. I am Groot. I am Groot! I am Groot. I am Groot. I am Groot. I am Groot.. I am Groot. I am Groot. I am Groot

I am Groot. I am Groot. I am *Groot*. I am Groot. I am Groot. I am Groot. I am Groot. I am Groot. I am Groot; I am Groot. I am Groot. I am Groot. I am Groot! I am Groot. I am Groot. I am Groot. I am Groot.. I am Groot. I am Groot. I am Groot. *I am Groot*. I am Groot. I am Groot. I am Groot! I am Groot. I am Groot. I am Groot. I am Groot. I am Groot. I am Groot. I am Groot. I am Groot. **I am Groot**. I am Groot. I am Groot. I am Groot; I am Groot. I am Groot. I am Groot. I am Groot. <u>I am Groot</u>. I am Groot! I am Groot - I am Groot. I am Groot. I am Groot. I am Groot. I am *Groot*…. I am Groot. I am Groot. I am Groot. I am Groot. I am Groot. I am Groot; I am Groot. I am Groot. I am Groot. I am Groot! I am Groot. I am Groot. I am Groot. I am Groot.. I am Groot. I am Groot. I am Groot

I am Groot. I am Groot. I am *Groot*. I am Groot. I am Groot. I am Groot. I am Groot. I am Groot. I am Groot. I am *Groot*. I am Groot. I am Groot. I am Groot. I am Groot. I am Groot; I am Groot. I am Groot. I am Groot. I am Groot! I am Groot. I am Groot. I am Groot. I am Groot.. I am Groot. I am Groot. I am Groot. *I am Groot*. I am Groot. I am Groot. I am Groot! I am Groot…. I am Groot. I am Groot. I am Groot. I am Groot. I am Groot. I am Groot. I am Groot. **I am Groot**. I am Groot. I am Groot. I am Groot; I am Groot. I am Groot. I am Groot. I

am Groot. I am Groot. I am Groot. I am Groot - I am Groot.
I am Groot. I am Groot. I am Groot. I am *Groot*. I am
Groot. I am Groot. I am Groot. I am Groot. I am Groot. I
am Groot; I am Groot. I am Groot. I am Groot. I am Groot!
I am Groot. I am Groot. I am Groot. I am Groot.. I am
Groot. I am Groot. I am Groot

      I am Groot. I am Groot; I am Groot. I am Groot. I
am Groot. I am Groot! I am Groot. I am Groot. I am Groot.
I am Groot.. I am Groot. I am Groot. I am Groot. *I am
Groot*. I am Groot. I am Groot. I am Groot! I am Groot. I
am Groot. I am Groot. I am Groot. I am Groot. I am Groot.
I am Groot. I am Groot. **I am Groot**. I am Groot. I am
Groot. I am Groot; I am Groot. I am Groot. I am Groot. I
am Groot. I am Groot. I am Groot. I am Groot - I am Groot.
I am Groot. I am Groot. I am Groot. I am *Groot*. I am
Groot. I am Groot. I am Groot. I am Groot. I am Groot. I
am Groot; I am Groot. I am Groot. I am Groot. I am Groot!
I am Groot. I am Groot. I am Groot. I am Groot.. I am
Groot. I am Groot. I am Groot. I am Groot. I am Groot. I
am *Groot*. I am Groot. I am Groot. I am Groot. I am Groot.
I am Groot…... I am Groot; I am Groot. I am Groot. I am
Groot. I am Groot! I am Groot. I am Groot. I am Groot. I
am Groot.. I am Groot. I am Groot. I am Groot. *I am Groot*.
I am Groot. I am Groot. I am Groot! I am Groot. I am
Groot. I am Groot. I am Groot. I am Groot. I am Groot. I
am Groot. I am Groot. **I am Groot**. I am Groot. I am Groot.
I am Groot; I am Groot. I am Groot. I am Groot. I am
Groot. I am Groot. I am Groot. I am Groot - I am Groot. I
am Groot. I am Groot. I am Groot. I am *Groot*. I am Groot.
I am Groot. I am Groot. I am Groot. I am Groot. I am
Groot; I am Groot. I am Groot. I am Groot. I am Groot! I
am Groot. I am Groot. I am Groot. I am Groot.. I am Groot.
I am Groot. I am Groot….**I am Groot**. I am Groot. I am
Groot. I am Groot; I am Groot. I am Groot. I am Groot. I
am Groot. I am Groot. I am Groot. I am Groot - I am Groot.
I am Groot. I am Groot. I am Groot. I am *Groot*. I am

Groot. I am Groot. I am Groot. I am Groot. I am Groot. I am Groot; I am Groot. I am Groot. I am Groot. I am Groot! I am Groot. I am Groot. I am Groot. I am Groot.. I am Groot. I am Groot. I am Groot

I am Groot. I am Groot. I am Groot. I am Groot. I am Groot. I am Groot - I am Groot. I am Groot. I am Groot. I am Groot. I am *Groot*. I am Groot. I am Groot….. I am Groot. I am Groot. I am Groot. I am Groot; I am Groot. I am Groot. I am Groot. I am Groot! I am Groot. I am Groot. I am Groot. I am Groot.. I am Groot. I am Groot. I am Groot….**I am Groot**. I am Groot. I am Groot. I am Groot; I am Groot. I am Groot. I am Groot. I am Groot. I am Groot. I am Groot. I am Groot - I am Groot. I am Groot. I am Groot. I am Groot. I am *Groot*. I am Groot. I am Groot. I am Groot. I am Groot. I am Groot. I am Groot; I am Groot. I am Groot. I am Groot. I am Groot! I am Groot. I am Groot. I am Groot. I am Groot.. I am Groot. I am Groot. I am Groot.

I am Groot. I am Groot. I am *Groot*. I am Groot. I am Groot. I am Groot. I am Groot. I am Groot. I am Groot; I am Groot. I am Groot. I am Groot. I am Groot! I am Groot. I am Groot. I am Groot. I am Groot. I am Groot. I am Groot. I am Groot. *I am Groot*. I am Groot. I am Groot. I am Groot! I am Groot. I am Groot. I am Groot. I am Groot. I am Groot. I am Groot. I am Groot. I am Groot. **I am Groot**. I am Groot. I am Groot. I am Groot; I am Groot. I am Groot. I am Groot. I am Groot. I am Groot. I am Groot. I am Groot. I am Groot - I am Groot. I am Groot..

I am Groot. I am Groot. I am Groot. I am Groot. I am Groot. *I am Groot*. I am Groot. I am Groot. I am Groot! I am Groot. I am Groot. I am Groot. I am Groot. I am Groot. I am Groot. I am Groot. I am Groot. I am Groot. **I am Groot**. I am Groot. I am Groot. I am Groot; I am Groot. I am Groot. I am Groot. I am Groot. I am Groot. I am Groot. I am Groot. I am Groot - I am Groot. I am Groot.. I am Groot. I am Groot. I am *Groot*. I am Groot. I am Groot. I am Groot. I am Groot. I am Groot. I am Groot; I am Groot. I am Groot. I am Groot. I am Groot! I am Groot. I am Groot. I am Groot. I am Groot. I am Groot. I am Groot. I am Groot. *I am Groot*. I am Groot. I am Groot. I am Groot! I am Groot. I am Groot. I am Groot. I am Groot. I am Groot. I am Groot. I am Groot. I am Groot. **I am Groot**. I am Groot. I am Groot. I am Groot; I am Groot. I am Groot. I am Groot. I am Groot. <u>I am Groot</u>. I am Groot. I am Groot - I am Groot. I am Groot.. I am Groot. I am Groot. I am Groot. I am Groot. I am Groot. I am Groot. I am Groot. **I am Groot**. I am Groot. I am Groot. I am Groot; I am Groot. I am Groot. I am Groot. I am Groot. <u>I am Groot</u>. I am Groot. I am Groot - I am Groot. I am Groot..

I am Groot.

I am Groot. I am Groot. I am *Groot*. I am Groot. I am Groot. I am Groot. I am Groot. I am Groot. I am Groot; I am Groot. I am Groot. I am Groot. I am Groot! I am Groot. I am Groot. I am Groot. I am Groot.. I am Groot. I am Groot. I am Groot. *I am Groot*. I am Groot. I am Groot. I am Groot! I am Groot. I am Groot. I am Groot. I am Groot. I am Groot. I am Groot. I am Groot. I am Groot. **I am Groot**. I am Groot. I am Groot. I am Groot; I am Groot. I am Groot. I am Groot. I am Groot. <u>I am Groot</u>. I am Groot. I am Groot - I am Groot. I am Groot.

I am Groot. I am Groot. I am Groot. I am Groot. I am Groot. *I am Groot*. I am Groot. I am Groot. I am Groot! I am Groot. I am Groot. I am Groot. I am Groot. I am Groot. I am Groot. I am Groot. I am Groot. **I am Groot**. I am Groot. I am Groot. I am Groot; I am Groot. I am Groot. I am Groot. I am Groot. <u>I am Groot</u>. I am Groot. I am Groot - I am Groot. I am Groot.. I am Groot. I am Groot. I am *Groot*. I am Groot. I am Groot. I am Groot. I am Groot. I am Groot; I am Groot. I am Groot. I am Groot.

I am Groot! I am Groot. I am Groot. I am Groot. I am Groot. I am Groot. I am Groot. I am Groot. *I am Groot.* I am Groot. I am Groot. I am Groot! I am Groot. I am Groot. I am Groot. I am Groot. I am Groot. I am Groot. I am Groot. I am Groot. **I am Groot**. I am Groot. I am Groot. I am Groot; I am Groot. I am Groot. I am Groot. I am Groot. <u>I am Groot</u>. I am Groot. I am Groot - I am Groot. I am Groot.. I am Groot. I am Groot. I am Groot. I am Groot. I am Groot. I am Groot. I am Groot. **I am Groot**. I am Groot. I am Groot. I am Groot; I am Groot. I am Groot. I am Groot. I am Groot. <u>I am Groot</u>. I am Groot. I am Groot - I am Groot. I am Groot.

I am Groot. I am Groot. I am *Groot.* I am Groot. I am Groot. I am Groot. I am Groot. I am Groot. I am Groot; I am Groot. I am Groot. I am Groot. I am Groot! I am Groot. I am Groot. I am Groot. I am Groot.. I am Groot. I am Groot. I am Groot. *I am Groot.* I am Groot. I am Groot. I am Groot! I am Groot. I am Groot. I am Groot. I am Groot. I am Groot. I am Groot. I am Groot. I am Groot. **I am Groot**. I am Groot. I am Groot. I am Groot; I am Groot. I am Groot. I am Groot. I am Groot. <u>I am Groot</u>. I am Groot. I am Groot - I am Groot. I am Groot.

I am Groot. I am Groot. I am *Groot.* I am Groot. I am Groot. I am Groot. I am Groot. I am Groot. I am Groot; I am Groot. I am Groot. I am Groot. I am Groot! I am Groot. I am Groot. I am Groot. I am Groot.. I am Groot. I am Groot. I am Groot. I am Groot. I am *Groot.* I am Groot. I am Groot. I am Groot. I am Groot. I am Groot. I am Groot; I am Groot. I am Groot. I am Groot. I am Groot! I am Groot. I am Groot. I am Groot. I am Groot.. I am Groot. I am Groot. I am Groot. *I am Groot.* I am Groot. I am Groot. I am Groot! I am Groot. I am Groot. I am Groot. I am Groot. I am Groot. I am Groot. I am Groot. I am Groot. I am Groot. I am Groot. I am Groot. I am Groot; I am Groot. I am Groot. I am Groot. I am Groot. <u>I am Groot</u>. I am Groot. I am Groot - I am Groot. I am Groot.

I am Groot. I am Groot. I am *Groot*. I am Groot. I am Groot. I am Groot. I am Groot. I am Groot. I am Groot; I am Groot. I am Groot. I am Groot. I am Groot! I am Groot. I am Groot. I am Groot. I am Groot.. I am Groot. I am Groot. I am Groot. *I am Groot*. I am Groot. I am Groot. I am Groot! I am Groot. I am Groot. I am Groot. I am Groot. I am Groot. I am Groot. I am Groot. I am Groot. **I am Groot**. I am Groot. I

am Groot. I am Groot; I am Groot. I am Groot. I am Groot. I am Groot. <u>I am Groot</u>. I am Groot. I am Groot - I am Groot. I am Groot. I am Groot. I am Groot. I am *Groot*. I am Groot. I am Groot. I am Groot. I am Groot. I am Groot. I am Groot; I am Groot. I am Groot. I am Groot. I am Groot! I am Groot. I am Groot. I am Groot. I am Groot.. I am Groot. I am Groot. I am Groot

I am Groot. I am Groot. I am *Groot*. I am Groot. I am Groot. I am Groot. I am Groot. I am Groot. I am Groot; I am Groot. I am Groot. I am Groot. I am Groot! I am Groot. I am Groot. I am Groot. I am Groot.. I am Groot. I am Groot. I am Groot. *I am Groot*. I am Groot. I am Groot. I am Groot! I am Groot. I am Groot. I am Groot. I am Groot. I am Groot. I am Groot. I am Groot. I am Groot. **I am Groot**. I am Groot. I am Groot. I am Groot; I am Groot. I am Groot. I am Groot. I am Groot. <u>I am Groot</u>. I am Groot! I am Groot - I am Groot. I am Groot. I am Groot. I am Groot. I am *Groot*…. I am Groot. I am Groot. I am Groot. I am Groot. I am Groot. I am Groot; I am Groot. I am Groot. I am Groot. I am Groot! I am Groot. I am Groot. I am Groot. I am Groot.. I am Groot. I am Groot. I am Groot

I am Groot. I am Groot. I am *Groot*. I am Groot. I am Groot. I am Groot. I am Groot. I am Groot. I am Groot. I am *Groot*. I am Groot. I am Groot. I am Groot. I am Groot. I am Groot. I am Groot; I am Groot. I am Groot. I am Groot. I am Groot! I am Groot. I am Groot. I am Groot. I am Groot.. I am Groot. I am Groot. I am Groot. *I am*

Groot. I am Groot. I am Groot. I am Groot! I am Groot…. I am Groot. I am Groot. I am Groot. I am Groot. I am Groot. I am Groot. I am Groot. **I am Groot**. I am Groot. I am Groot. I am Groot; I am Groot. I am Groot. I am Groot. I am Groot. <u>I am Groot</u>. I am Groot. I am Groot - I am Groot. I am Groot. I am Groot. I am Groot. I am *Groot*. I am Groot. I am Groot. I am Groot. I am Groot. I am Groot. I am Groot; I am Groot. I am Groot. I am Groot. I am Groot! I am Groot. I am Groot. I am Groot. I am Groot.. I am Groot. I am Groot. I am Groot

I am Groot. I am Groot; I am Groot. I am Groot. I am Groot. I am Groot! I am Groot. I am Groot. I am Groot. I am Groot.. I am Groot. I am Groot. I am Groot. *I am Groot*. I am Groot. I am Groot. I am Groot! I am Groot. I am Groot. I am Groot. I am Groot. I am Groot. I am Groot. I am Groot. I am Groot. **I am Groot**. I am Groot. I am Groot. I am Groot; I am Groot. I am Groot. I am Groot. I am Groot. <u>I am Groot</u>. I am Groot. I am Groot - I am Groot. I am Groot. I am Groot. I am Groot. I am *Groot*. I am Groot. I am Groot. I am Groot. I am Groot. I am Groot. I am Groot; I am Groot. I am Groot. I am Groot. I am Groot! I am Groot. I am Groot. I am Groot. I am Groot.. I am Groot. I am Groot. I am Groot. I am Groot. I am Groot. I am *Groot*. I am Groot. I am Groot. I am Groot. I am Groot. I am Groot…... I am Groot; I am Groot. I am Groot. I am Groot. I am Groot! I am Groot. I am Groot. I am Groot. I am Groot.. I am Groot. I am Groot. I am Groot. *I am Groot*. I am Groot. I am Groot. I am Groot! I am Groot. I am Groot. I am Groot. I am Groot. I am Groot. I am Groot. I am Groot. I am Groot. **I am Groot**. I am Groot. I am Groot. I am Groot; I am Groot. I am Groot. I am Groot. I am Groot. <u>I am Groot</u>. I am Groot. I am Groot - I am Groot. I am Groot. I am Groot. I am Groot. I am *Groot*. I am Groot. I am Groot. I am Groot. I am Groot. I am Groot. I am Groot; I am Groot. I am Groot. I am Groot. I am Groot! I am Groot. I am Groot. I am Groot. I am Groot.. I am Groot.

I am Groot. I am Groot.….**I am Groot**. I am Groot. I am Groot. I am Groot; I am Groot. I am Groot. I am Groot. I am Groot. <u>I am Groot</u>. I am Groot. I am Groot - I am Groot. I am Groot. I am Groot. I am Groot. I am *Groot*. I am Groot. I am Groot. I am Groot. I am Groot. I am Groot. I am Groot; I am Groot. I am Groot. I am Groot. I am Groot! I am Groot. I am Groot. I am Groot. I am Groot.. I am Groot. I am Groot. I am Groot

I am Groot. I am Groot. I am Groot. <u>I am Groot</u>. I am Groot. I am Groot - I am Groot. I am Groot. I am Groot. I am Groot. I am *Groot*. I am Groot. I am Groot..… I am Groot. I am Groot. I am Groot. I am Groot; I am Groot. I am Groot. I am Groot. I am Groot! I am Groot. I am Groot. I am Groot. I am Groot.. I am Groot. I am Groot. I am Groot.…**I am Groot**. I am Groot. I am Groot. I am Groot; I am Groot. I am Groot. I am Groot. I am Groot. <u>I am Groot</u>. I am Groot. I am Groot - I am Groot. I am Groot. I am Groot. I am Groot. I am *Groot*. I am Groot. I am Groot. I am Groot. I am Groot. I am Groot. I am Groot; I am Groot. I am Groot. I am Groot. I am Groot! I am Groot. I am Groot. I am Groot. I am Groot.. I am Groot. I am Groot. I am Groot. I am Groot.

I am Groot. I am Groot. I am *Groot*. I am Groot. I am Groot. I am Groot. I am Groot. I am Groot. I am Groot; I am Groot. I am Groot. I am Groot. I am Groot! I am Groot. I am Groot. I am Groot. I am Groot. I am Groot. I am Groot. I am Groot. *I am Groot*. I am Groot. I am Groot. I am Groot! I am Groot. I am Groot. I am Groot. I am Groot. I am Groot. I am Groot. I am Groot. I am Groot. **I am Groot**. I am Groot. I am Groot. I am Groot; I am Groot. I am Groot. I am Groot. I am Groot. <u>I am Groot</u>. I am Groot. I am Groot - I am Groot. I am Groot..

I am Groot. I am Groot. I am Groot. I am Groot. I am Groot. *I am Groot*. I am Groot. I am Groot. I am Groot! I am Groot. I am Groot. I am Groot. I am Groot. I am Groot. I am Groot. I am Groot. I am Groot. **I am Groot**. I am Groot. I am Groot. I am Groot; I am Groot. I am Groot. I am Groot. I am Groot. I am Groot. I am Groot. I am Groot - I am Groot. I am Groot.. I am Groot. I am Groot. I am *Groot*. I am Groot. I am Groot. I am Groot. I am Groot. I am Groot. I am Groot; I am Groot. I am Groot. I am Groot. I am Groot! I am Groot. I am Groot. I am Groot. I am Groot. I am Groot. I am Groot. I am Groot. *I am Groot*. I am Groot. I am Groot. I am Groot! I am Groot. I am Groot. I am Groot. I am Groot. I am Groot. I am Groot. I am Groot. I am **I am Groot**. I am Groot. I am Groot. I am Groot; I am Groot. I am Groot. I am Groot. I am Groot. <u>I am Groot</u>. I am Groot. I am Groot - I am Groot. I am Groot.. I am Groot. I am Groot. I am Groot. I am Groot. I am Groot. I am Groot. I am Groot. **I am Groot**. I am Groot. I am Groot. I am Groot; I am Groot. I am Groot. I am Groot. I am Groot. I am Groot. <u>I am Groot</u>. I am Groot. I am Groot - I am Groot. I am Groot..

I am Groot.

    I am Groot. I am Groot. I am *Groot*. I am Groot. I am Groot. I am Groot. I am Groot. I am Groot. I am Groot; I am Groot. I am Groot. I am Groot. I am Groot! I am Groot. I am Groot. I am Groot. I am Groot.. I am Groot. I am Groot. I am Groot. *I am Groot*. I am Groot. I am Groot. I am Groot! I am Groot. I am Groot. I am Groot. I am Groot. I am Groot. I am Groot. I am Groot. I am Groot. **I am Groot**. I am Groot. I am Groot. I am Groot; I am Groot. I am Groot. I am Groot. I am Groot. <u>I am Groot</u>. I am Groot. I am Groot - I am Groot. I am Groot.
    I am Groot. I am Groot. I am Groot. I am Groot. I am Groot. *I am Groot*. I am Groot. I am Groot. I am Groot! I am Groot. I am Groot. I am Groot. I am Groot. I am Groot. I am Groot. I am Groot. I am Groot. **I am Groot**. I am Groot. I am Groot. I am Groot; I am Groot. I am Groot.

I am Groot. I am Groot. <u>I am Groot</u>. I am Groot. I am Groot - I am Groot. I am Groot.. I am Groot. I am Groot. I am *Groot*. I am Groot. I am Groot. I am Groot. I am Groot. I am Groot. I am Groot; I am Groot. I am Groot. I am Groot. I am Groot! I am Groot. I am Groot. I am Groot. I am Groot. I am Groot. I am Groot. I am Groot. *I am Groot*. I am Groot. I am Groot. I am Groot! I am Groot. I am Groot. I am Groot. I am Groot. I am Groot. I am Groot. I am Groot. I am Groot. **I am Groot**. I am Groot. I am Groot. I am Groot; I am Groot. I am Groot. I am Groot. I am Groot. <u>I am Groot</u>. I am Groot. I am Groot - I am Groot. I am Groot.. I am Groot. I am Groot. I am Groot. I am Groot. I am Groot. I am Groot. I am Groot. **I am Groot**. I am Groot. I am Groot. I am Groot; I am Groot. I am Groot. I am Groot. I am Groot. <u>I am Groot</u>. I am Groot. I am Groot - I am Groot. I am Groot.

I am Groot. I am Groot. I am *Groot*. I am Groot. I am Groot. I am Groot. I am Groot. I am Groot. I am Groot; I am Groot. I am Groot. I am Groot. I am Groot! I am Groot. I am Groot. I am Groot. I am Groot.. I am Groot. I am Groot. I am Groot. *I am Groot*. I am Groot. I am Groot. I am Groot! I am Groot. I am Groot. I am Groot. I am Groot. I am Groot. I am Groot. I am Groot. I am Groot. **I am Groot**. I am Groot. I am Groot. I am Groot; I am Groot. I am Groot. I am Groot. I am Groot. <u>I am Groot</u>. I am Groot. I am Groot - I am Groot. I am Groot.

I am Groot. I am Groot. I am *Groot*. I am Groot. I am Groot. I am Groot. I am Groot. I am Groot. I am Groot; I am Groot. I am Groot. I am Groot. I am Groot! I am Groot. I am Groot. I am Groot. I am Groot.. I am Groot. I am Groot. I am Groot. I am Groot. I am Groot. I am *Groot*. I am Groot. I am Groot. I am Groot. I am Groot. I am Groot. I am Groot; I am Groot. I am Groot. I am Groot. I am Groot! I am Groot. I am Groot. I am Groot. I am Groot.. I am Groot. I am Groot. I am Groot. *I am Groot*. I am Groot. I am Groot. I am Groot! I am Groot. I am Groot. I am Groot. I am Groot. I am Groot. I am Groot. I am Groot. I am Groot. I am Groot. I am Groot. I am Groot. I am Groot; I am Groot. I am Groot. I am Groot. I am Groot. I am Groot. I am Groot. I am Groot - I am Groot. I am Groot.

I am Groot. I am Groot. I am *Groot*. I am Groot. I am Groot. I am Groot. I am Groot. I am Groot. I am Groot; I am Groot. I am Groot. I am Groot. I am Groot! I am Groot. I am Groot. I am Groot. I am Groot.. I am Groot. I am Groot. I am Groot. *I am Groot*. I am Groot. I am Groot. I am Groot! I am Groot. I am Groot. I am Groot. I am Groot. I am Groot. I am Groot. I am Groot. I am Groot. I am Groot. **I am Groot**. I am Groot. I am Groot. I am Groot; I am Groot. I am Groot. I am Groot. I am Groot. I am Groot. I am Groot. I am Groot - I am Groot. I am Groot. I am Groot. I am Groot. I am *Groot*. I am Groot. I am Groot. I am Groot. I am Groot. I am Groot. I am Groot; I am Groot. I am Groot. I am Groot. I am Groot! I am Groot. I am Groot. I am Groot. I am Groot.. I am Groot. I am Groot. I am Groot

I am Groot

I am Groot. I am Groot. I am *Groot*. I am Groot. I am Groot. I am Groot. I am Groot. I am Groot. I am Groot; I am Groot. I am Groot. I am Groot. I am Groot! I am Groot. I am Groot. I am Groot. I am Groot.. I am Groot. I am Groot. I am Groot. *I am Groot*. I am Groot. I am Groot. I am Groot! I am Groot. I am Groot. I am Groot. I am Groot. I am Groot. I am Groot. I am Groot. I am Groot. **I am Groot**. I am Groot. I am Groot. I am Groot; I am Groot. I am Groot. I am Groot. I am Groot. I am Groot. I am Groot! I am Groot - I am Groot. I am Groot. I am Groot. I am Groot. I am *Groot*.... I am Groot. I am Groot. I am Groot. I am Groot. I am Groot; I am Groot. I am Groot. I am Groot. I am Groot! I am Groot. I am Groot. I am Groot. I am Groot.. I am Groot. I am Groot. I am Groot

I am Groot. I am Groot. I am *Groot*. I am Groot. I am Groot. I am Groot. I am Groot. I am Groot. I am Groot. I am *Groot*. I am Groot. I am Groot. I am Groot. I am Groot. I am Groot. I am Groot; I am Groot. I am Groot. I am Groot. I am Groot! I am Groot. I am Groot. I am Groot. I am Groot.. I am Groot. I am Groot. I am Groot. *I am Groot*. I am Groot. I am Groot. I am Groot! I am Groot.... I am Groot. I am Groot. I am Groot. I am Groot. I am Groot. I am Groot. I am Groot. **I am Groot**. I am Groot. I am Groot. I am Groot; I am Groot. I am Groot. I am Groot. I am Groot. <u>I am Groot</u>. I am Groot. I am Groot - I am Groot. I am Groot. I am Groot. I am Groot. I am *Groot*. I am Groot. I am Groot. I am Groot. I am Groot. I am Groot. I am Groot; I am Groot. I am Groot. I am Groot. I am Groot! I am Groot. I am Groot. I am Groot. I am Groot.. I am Groot. I am Groot. I am Groot

I am Groot. I am Groot; I am Groot. I am Groot. I am Groot. I am Groot! I am Groot. I am Groot. I am Groot.

I am Groot.. I am Groot. I am Groot. I am Groot. *I am Groot*. I am Groot. I am Groot. I am Groot! I am Groot. I am Groot. I am Groot. I am Groot. I am Groot. I am Groot. I am Groot. I am Groot. **I am Groot**. I am Groot. I am Groot. I am Groot; I am Groot. I am Groot. I am Groot. I am Groot. <u>I am Groot</u>. I am Groot. I am Groot - I am Groot. I am Groot. I am Groot. I am Groot. I am *Groot*. I am Groot. I am Groot. I am Groot. I am Groot. I am Groot. I am Groot; I am Groot. I am Groot. I am Groot. I am Groot! I am Groot. I am Groot. I am Groot. I am Groot.. I am Groot. I am Groot. I am Groot. I am Groot. I am Groot. I am *Groot*. I am Groot. I am Groot. I am Groot. I am Groot. I am Groot…... I am Groot; I am Groot. I am Groot. I am Groot. I am Groot! I am Groot. I am Groot. I am Groot. I am Groot.. I am Groot. I am Groot. I am Groot. *I am Groot*. I am Groot. I am Groot. I am Groot! I am Groot. I am Groot. I am Groot. I am Groot. I am Groot. I am Groot. I am Groot. I am Groot. **I am Groot**. I am Groot. I am Groot. I am Groot; I am Groot. I am Groot. I am Groot. I am Groot. <u>I am Groot</u>. I am Groot. I am Groot - I am Groot. I am Groot. I am Groot. I am Groot. I am *Groot*. I am Groot. I am Groot. I am Groot. I am Groot. I am Groot. I am Groot; I am Groot. I am Groot. I am Groot. I am Groot! I am Groot. I am Groot. I am Groot. I am Groot.. I am Groot. I am Groot. I am Groot….**I am Groot**. I am Groot. I am Groot. I am Groot; I am Groot. I am Groot. I am Groot. I am Groot. <u>I am Groot</u>. I am Groot. I am Groot - I am Groot. I am Groot. I am Groot. I am Groot. I am *Groot*. I am Groot. I am Groot. I am Groot. I am Groot. I am Groot. I am Groot; I am Groot. I am Groot. I am Groot. I am Groot! I am Groot. I am Groot. I am Groot. I am Groot.. I am Groot. I am Groot. I am Groot

I am Groot. I am Groot. I am Groot. <u>I am Groot</u>. I am Groot. I am Groot - I am Groot. I am Groot. I am Groot. I am Groot. I am *Groot*. I am Groot. I am Groot….. I am Groot. I am Groot. I am Groot. I am Groot; I am Groot. I am Groot. I am Groot. I am Groot! I am Groot. I am Groot. I am Groot. I am Groot.. I am Groot. I am Groot. I am Groot....**I am Groot**. I am Groot. I am Groot. I am Groot; I am Groot. I am Groot. I am Groot. I am Groot. <u>I am Groot</u>. I am Groot. I am Groot - I am Groot. I am Groot. I am Groot. I am Groot. I am *Groot*. I am Groot. I am Groot. I am Groot. I am Groot. I am Groot. I am Groot; I am Groot. I am Groot. I am Groot. I am Groot! I am Groot. I am Groot. I am Groot. I am Groot.. I am Groot. I am Groot. I am Groot.

I am Groot. I am Groot. I am *Groot*. I am Groot. I am Groot. I am Groot. I am Groot. I am Groot. I am Groot; I am Groot. I am Groot. I am Groot. I am Groot! I am Groot. I am Groot. I am Groot. I am Groot. I am Groot. I am Groot. I am Groot. *I am Groot*. I am Groot. I am Groot. I am Groot! I am Groot. I am Groot. I am Groot. I am Groot. I am Groot. I am Groot. I am Groot. I am Groot. **I am Groot**. I am Groot. I am Groot. I am Groot; I am Groot. I am Groot. I am Groot. I am Groot. <u>I am Groot</u>. I am Groot. I am Groot - I am Groot. I am Groot..

I am Groot. I am Groot. I am Groot. I am Groot. I am Groot. *I am Groot*. I am Groot. I am Groot. I am Groot! I am Groot. I am Groot. I am Groot. I am Groot. I am Groot. I am Groot. I am Groot. I am Groot. **I am Groot**. I am Groot. I am Groot. I am Groot; I am Groot. I am Groot. I am Groot. I am Groot. <u>I am Groot</u>. I am Groot. I am Groot - I am Groot. I am Groot.. I am Groot. I am Groot. I am *Groot*. I am Groot. I am Groot. I am Groot. I am Groot. I am Groot. I am Groot; I am Groot. I am Groot. I am Groot. I am Groot! I am Groot. I am Groot. I am Groot. I am Groot. I am Groot. I am Groot. I am Groot. *I am Groot*. I am Groot. I am Groot. I am Groot! I am Groot. I am Groot. I am Groot. I am Groot. I am Groot. I am Groot. **I am Groot**. I am Groot. I am Groot. I am Groot; I am Groot. I am Groot. I am Groot. I am Groot. I am Groot. <u>I am Groot</u>. I am Groot. I am Groot - I am Groot. I am

Groot.. I am Groot. I am Groot. I am Groot. I am Groot. I am Groot. I am Groot. I am Groot. **I am Groot**. I am Groot. I am Groot. I am Groot; I am Groot. I am Groot. I am Groot. I am Groot. I am Groot. I am Groot. I am Groot - I am Groot. I am Groot..

I am Groot.

I am Groot. I am Groot. I am *Groot*. I am Groot. I am Groot. I am Groot. I am Groot. I am Groot. I am Groot; I am Groot. I am Groot. I am Groot. I am Groot! I am Groot. I am Groot. I am Groot. I am Groot.. I am Groot. I am Groot. I am Groot. *I am Groot*. I am Groot. I am Groot. I am Groot! I am Groot. I am Groot. I am Groot. I am Groot. I am Groot. I am Groot. I am Groot. I am Groot. **I am Groot**. I am Groot. I am Groot. I am Groot; I am Groot. I am Groot. I am Groot. I am Groot. I am Groot. I am Groot. I am Groot. I am Groot. I am Groot - I am Groot. I am Groot.
I am Groot. I am Groot. I am Groot. I am Groot. I am Groot. *I am Groot*. I am Groot. I am Groot. I am Groot! I am Groot. I am Groot. I am Groot. I am Groot. I am Groot. I am Groot. I am Groot. I am Groot. **I am Groot**. I am Groot. I am Groot. I am Groot; I am Groot. I am Groot. I am Groot. I am Groot. I am Groot. I am Groot - I am Groot. I am Groot.. I am Groot. I am Groot. I am *Groot*. I am Groot. I am Groot. I am Groot. I am Groot. I am Groot; I am Groot. I am Groot. I am Groot. I am Groot! I am Groot. I am Groot. I am Groot. I am Groot. I am Groot. I am Groot. I am Groot. *I am Groot*. I am Groot. I am Groot. I am Groot! I am Groot. I am Groot. I am Groot. I am Groot. I am Groot. I am Groot. I am Groot. I am Groot. **I am Groot**. I am Groot. I am Groot. I am Groot; I am Groot. I am Groot. I am Groot. I am Groot. I am Groot. I am Groot. I am Groot - I am Groot. I am Groot.. I am Groot. I am Groot. I am Groot. I am Groot. I

am Groot. I am Groot. I am Groot. **I am Groot**. I am Groot. I am Groot. I am Groot; I am Groot. I am Groot. I am Groot. I am Groot. <u>I am Groot</u>. I am Groot. I am Groot - I am Groot. I am Groot.

I am Groot. I am Groot. I am *Groot*. I am Groot. I am Groot. I am Groot. I am Groot. I am Groot. I am Groot; I am Groot. I am Groot. I am Groot. I am Groot! I am Groot. I am Groot. I am Groot. I am Groot.. I am Groot. I am Groot. I am Groot. *I am Groot*. I am Groot. I am Groot. I am Groot! I am Groot. I am Groot. I am Groot. I am Groot. I am Groot. I am Groot. I am Groot. I am Groot. **I am Groot**. I am Groot. I am Groot. I am Groot; I am Groot. I am Groot. I am Groot. I am Groot. <u>I am Groot</u>. I am Groot. I am Groot - I am Groot. I am Groot.

I am Groot. I am Groot. I am *Groot*. I am Groot. I am Groot. I am Groot. I am Groot. I am Groot. I am Groot; I am Groot. I am Groot. I am Groot. I am Groot! I am Groot. I am Groot. I am Groot. I am Groot.. I am Groot. I am Groot. I am Groot. I am Groot. I am Groot. I am *Groot*. I am Groot. I am Groot. I am Groot. I am Groot. I am Groot; I am Groot. I am Groot. I am Groot. I am Groot. I am Groot! I am Groot. I am Groot. I am Groot. I am Groot.. I am Groot. I am Groot. I am Groot. *I am Groot*. I am Groot. I am Groot. I am Groot! I am Groot. I am Groot. I am Groot. I am Groot. I am Groot. I am Groot. I am Groot. I am Groot. I am Groot. I am Groot. I am Groot; I am Groot. I am Groot. I am Groot. I am Groot. <u>I am Groot</u>. I am Groot. I am Groot - I am Groot. I am Groot.

I am Groot. I am Groot. I am *Groot*. I am Groot. I am Groot. I am Groot. I am Groot. I am Groot. I am Groot; I am Groot. I am Groot. I am Groot. I am Groot! I am Groot. I am Groot. I am Groot. I am Groot.. I am Groot. I am Groot. I am Groot. *I am Groot*. I am Groot. I am Groot. I am Groot! I am Groot. I am Groot. I am Groot. I am Groot. I am Groot. I am Groot. I am Groot. I am Groot. I am Groot. I am Groot. **I am Groot**. I am Groot. I am Groot. I am Groot; I am Groot.

I am Groot. I am Groot. I am Groot. I am Groot. I am Groot. I am Groot - I am Groot. I am Groot. I am Groot. I am Groot. I am *Groot*. I am Groot. I am Groot. I am Groot. I am Groot. I am Groot. I am Groot; I am Groot. I am Groot. I am Groot. I am Groot! I am Groot. I am Groot. I am Groot. I am Groot.. I am Groot. I am Groot. I am Groot

I am Groot. I am Groot. I am *Groot*. I am Groot. I am Groot. I am Groot. I am Groot. I am Groot. I am Groot; I am Groot. I am Groot. I am Groot. I am Groot! I am Groot. I am Groot. I am Groot. I am Groot.. I am Groot. I am Groot. I am Groot. *I am Groot*. I am Groot. I am Groot. I am Groot! I am Groot. I am Groot. I am Groot. I am Groot. I am Groot. I am Groot. I am Groot. I am Groot. **I am Groot**. I am Groot. I am Groot. I am Groot; I am Groot. I am Groot. I am Groot. I am Groot. I am Groot. I am Groot. I am Groot. I am Groot! I am Groot - I am Groot. I am Groot. I am Groot. I am Groot. I am *Groot*.... I am Groot. I am Groot. I am Groot. I am Groot. I am Groot. I am Groot; I am Groot. I am Groot. I am Groot. I am Groot! I am Groot. I am Groot. I am Groot. I am Groot.. I am Groot. I am Groot. I am Groot

I am Groot. I am Groot. I am *Groot*. I am Groot. I am Groot. I am Groot. I am Groot. I am Groot. I am Groot. I am *Groot*. I am Groot. I am Groot. I am Groot. I am Groot. I am Groot. I am Groot; I am Groot. I am Groot. I am Groot. I am Groot! I am Groot. I am Groot. I am Groot. I am Groot.. I am Groot. I am Groot. I am Groot. *I am Groot*. I am Groot. I am Groot. I am Groot! I am Groot.... I am Groot. I am Groot. I am Groot. I am Groot. I am Groot. I am Groot. I am Groot. **I am Groot**. I am Groot. I am Groot. I am Groot; I am Groot. I am Groot. I am Groot. I am Groot. I am Groot. I am Groot. I am Groot. I am Groot - I am Groot. I am Groot. I am Groot. I am Groot. I am Groot. I am *Groot*. I am Groot. I am Groot. I am Groot. I am Groot. I am Groot. I am Groot. I am Groot; I am Groot. I am Groot. I am Groot. I am Groot!

I am Groot. I am Groot. I am Groot. I am Groot.. I am Groot. I am Groot. I am Groot

I am Groot. I am Groot; I am Groot. I am Groot. I am Groot. I am Groot! I am Groot. I am Groot. I am Groot. I am Groot.. I am Groot. I am Groot. I am Groot. *I am Groot*. I am Groot. I am Groot. I am Groot! I am Groot. I am Groot. I am Groot. I am Groot. I am Groot. I am Groot. I am Groot. I am Groot. **I am Groot**. I am Groot. I am Groot. I am Groot; I am Groot. I am Groot. I am Groot. I am Groot. <u>I am Groot</u>. I am Groot. I am Groot - I am Groot. I am Groot. I am Groot. I am Groot. I am *Groot*. I am Groot. I am Groot. I am Groot. I am Groot. I am Groot. I am Groot; I am Groot. I am Groot. I am Groot. I am Groot! I am Groot. I am Groot. I am Groot. I am Groot.. I am Groot. I am Groot. I am Groot. I am Groot. I am *Groot*. I am Groot. I am Groot. I am Groot. I am Groot. I am Groot…... I am Groot; I am Groot. I am Groot. I am Groot. I am Groot! I am Groot. I am Groot. I am Groot. I am Groot.. I am Groot. I am Groot. I am Groot. *I am Groot*. I am Groot. I am Groot. I am Groot! I am Groot. I am Groot. I am Groot. I am Groot. I am Groot. I am Groot. I am Groot. **I am Groot**. I am Groot. I am Groot. I am Groot; I am Groot. I am Groot. I am Groot. I am Groot. <u>I am Groot</u>. I am Groot. I am Groot - I am Groot. I am Groot. I am Groot. I am Groot. I am *Groot*. I am Groot. I am Groot. I am Groot. I am Groot. I am Groot; I am Groot. I am Groot. I am Groot. I am Groot! I am Groot. I am Groot. I am Groot. I am Groot.. I am Groot. I am Groot. I am Groot….**I am Groot**. I am Groot. I am Groot. I am Groot; I am Groot. I am Groot. I am Groot. I am Groot. <u>I am Groot</u>. I am Groot. I am Groot - I am Groot. I am Groot. I am Groot. I am Groot. I am *Groot*. I am Groot. I am Groot. I am Groot. I am Groot. I am Groot. I am Groot; I am Groot. I am Groot. I am Groot. I am Groot! I am Groot. I am Groot. I am Groot. I am Groot.. I am Groot. I am Groot. I am Groot

I am Groot. I am Groot. I am Groot. <u>I am Groot</u>. I am Groot. I am Groot - I am Groot. I am Groot. I am Groot. I am Groot. I am *Groot*. I am Groot. I am Groot….. I am Groot. I am Groot. I am Groot. I am Groot; I am Groot. I am Groot. I am Groot. I am Groot! I am Groot. I am Groot. I am Groot. I am Groot.. I am Groot. I am Groot. I am Groot….**I am Groot**. I am Groot. I am Groot. I am Groot; I am Groot. I am Groot. I am Groot. I am Groot. <u>I am Groot</u>. I am Groot. I am Groot - I am Groot. I am Groot. I am Groot. I am Groot. I am *Groot*. I am Groot. I am Groot. I am Groot. I am Groot. I am Groot. I am Groot; I am Groot. I am Groot. I am Groot. I am Groot! I am Groot. I am Groot. I am Groot. I am Groot.. I am Groot. I am Groot. I am Groot.

I am Groot. I am Groot. I am Groot; I am Groot. I am Groot. I am Groot. I am Groot! I am Groot. I am Groot. I am Groot. I am Groot.. I am Groot. I am Groot. I am Groot. I am Groot. I am Groot. I am *Groot*. I am Groot. I am Groot. I am Groot. I am Groot. I am Groot….... I am Groot; I am Groot. I am Groot. I am Groot. I am Groot! I am Groot. I am Groot. I am Groot. I am Groot.. I am Groot. I am Groot. I am Groot. *I am Groot*. I am Groot. I am Groot. I am Groot! I am Groot. I am Groot. I am Groot. I am Groot. I am Groot. I am Groot. I am Groot. I am Groot. **I am Groot**. I am Groot. I am Groot. I am Groot; I am Groot. I am Groot. I am Groot. I am Groot. I am Groot. <u>I am Groot</u>. I am Groot. I am Groot - I am Groot. I am Groot. I am Groot. I am Groot. I am *Groot*. I am Groot. I am Groot. I am Groot. I am Groot. I am Groot. I am Groot; I am Groot. I am Groot. I am Groot. I am Groot! I am Groot. I am Groot. I am Groot. I am Groot.. I am Groot. I am Groot. I am Groot….**I am Groot**. I am Groot. I am Groot. I am Groot; I am Groot. I am Groot. I am Groot. I am Groot. <u>I am Groot</u>. I am Groot. I am Groot - I am Groot. I am Groot. I am Groot. I am Groot. I am *Groot*. I am Groot. I am Groot. I am Groot. I am Groot. I am Groot. I am Groot; I am Groot.

I am Groot. I am Groot. I am Groot! I am Groot. I am Groot. I am Groot. I am Groot.. I am Groot. I am Groot. I am Groot

We are Groot